D1289670

cuisine de tradition

cuisine de tradition

Les incontournables de nos bistrots

Laura Washburn

Photographies de Martin Brigdale

soline éditions

Édition originale :
Texte © Laura Washburn 2003
Maquette et photographies
© Ryland Peters & Small 2003, Londres

Direction du projet Steve Painter
Direction éditoriale Elsa Petersen-Schepelern
Fabrication Meryl Silbert
Direction artistique Gabriella Le Grazie
Édition Alison Starling
Stylisme culinaire Linda Tubby
Stylisme Helen Trent
Index Hilary Bird

Édition française :
© 2004 Éditions Soline, Courbevoie, France

Adaptation française Christine Bollard,
avec le concours d'Isabel Blot-Gutierrez
Réalisation Philippe Brunet / PHB

ISBN : 2-87677-492-5
Dépôt légal : juillet 2004

Imprimé en Chine

Dédicace

À Maman et John

Remerciements

Merci à tous ceux qui ont donné un coup de main pour les enfants, en particulier Melissa Glase et Rachel Donovan, mais aussi à Gail Ezra, Denise Clare et Linda Daniels. Merci également à la famille Phillips – Maha, Mike, Lawrence et Martha – qui a de bon gré consacré bien des dimanches à la dégustation et à la critique. Les conseils en matière d'association des vins et des mets nous ont été fournis par Patrice et Erika Marcoue, d'Apogée, au Puiset (France) – www.vinsapogee.com. Merci à vous, Martin Brigdale, Linda Tubby et Helen Trent pour avoir rendu ce livre si beau ; merci à Steve Painter pour son enthousiasme et ses avis éclairés, pour sa superbe maquette aussi. Merci, Ananda, et merci, merci, merci encore à Julian, à Clara et surtout à Jim.

Notes

- À défaut d'autres indications, les mesures en cuillerées sont des cuillerées rases.

- Les températures indiquées pour le préchauffage du four doivent être respectées. Les recettes contenues dans ce recueil ont été testées avec un four standard. Pour un four à chaleur pulsée, les temps de cuisson doivent être modifiés selon les recommandations du fabricant.

- Pour les pâtes à gâteaux ou les préparations à base d'œufs et de lait, les mesures ne sont indiquées qu'en tant que guide. Pour obtenir la consistance recherchée, ajoutez toujours les liquides petit à petit. Fiez-vous à vos yeux et à votre toucher pour parfaire les résultats. Si vous utilisez un type de farine autre que celui spécifié dans la recette, le résultat peut en être altéré.

sommaire

MENU

Liqueurs
SEVERY
Suggestion
Potjevlesch
12€
LEFFE
BRUNE
PRESSION 25cl
Suggestion
Moules
Marinière
12€

Croustillant aux Vieux Lille
Terrine du Nord
* Carbonnade à la Bièr
* Lapin à la flamande
* Andouillette de St Gery
* Tarte à la Chicorée
* Glace à la Chicorée
* Assiette de fromag
(Vieux lille, maroilles)
SUGGESTIONS
* Salade de Crottin 6,5
* Fricassé d'Anguille en matelote 12,50€
* Onglet de veau à l'échalote 11€
* Glace Pain d'épice et sa tulipe 5
LA VOUTE
RESTAURANT
LA VOUTE

un art de vivre

L'origine du mot « bistrot » est quelque peu mystérieuse. D'aucuns affirment qu'il fut introduit par les Russes, pendant l'occupation de Paris en 1814 : les cosaques invectivaient les serveurs trop lents à leur goût en leur criant « bystro ! bystro ! » (vite ! vite !). D'autres prétendent que ce mot provient de l'argot parisien de l'époque, ou encore qu'il est issu d'un dialecte du Nord. En dépit de ces incertitudes, reste un lieu de vie qui a su garder son authenticité.

Les restaurants et cafés qui prospèrent au XIXe siècle sont des établissements réservés à la classe bourgeoise. À la même époque, apparaissent les premiers bistrots, où se retrouve une clientèle bien différente. Le bistrot, véritable institution de quartier, devient alors pour les habitués du voisinage un lieu confortable et chaleureux, où partager une carafe ou une chopine de vin en discutant politique et faits du jour. Qui s'abreuve doit se sustenter : peu à peu, le bistrot devient une annexe du foyer. Le patron y prépare des plats modestes et simples que l'on déguste à la bonne franquette, alors que, dans les grands restaurants, de fameux chefs élaborent des mets coûteux et raffinés.

De nos jours, ces différences se sont estompées : les termes de « bistrot » et de « restaurant » sont devenus presque interchangeables. Malgré tout, le bistrot reste évocateur de simplicité, car les mets que l'on y sert, traditionnels, s'inspirent des terroirs régionaux. La cuisine de bistrot, calquée sur l'ordinaire familial, propose une nourriture saine et sans prétention, certes bien loin des menus des restaurants gastronomiques. Recourant aux ingrédients locaux et aux produits de saison, elle est économique, sincère et indémodable, authentique et sans vanité.

Les recettes, excellentes autant qu'immuables, sont ici mises au goût du jour. En dépit des facilités que nous offre la vie moderne, le temps vient souvent à manquer ; c'est pourquoi les préparations, toujours simples, emploient des ingrédients de base. Les personnes soucieuses de leur santé noteront que les recettes préconisent une quantité minimum de matières grasses. Les suggestions concernant le choix des vins tiennent compte des spécificités régionales de chaque recette. Quant à l'équipement requis, il n'est nul besoin d'une batterie de grand chef pour réussir un bon repas. La cuisine de bistrot, s'attachant à tirer le meilleur parti de chaque ingrédient, permet de se sustenter à bon compte et de profiter judicieusement des restes.

Nos préoccupations diffèrent sans doute beaucoup de celles que connurent nos aïeux il y a plus de cent ans, mais nos appétits d'évasion et de détente sont restés les mêmes. Simplicité, chaleur, convivialité : la cuisine de bistrot décline les vertus de l'amitié, et tout ce à quoi l'on aspire après une rude journée de labeur. Tant que la Terre tournera, notre appétit pour les bonnes choses de la vie perdurera ; la cuisine de bistrot fait partie de ces plaisirs authentiques, sans cesse renouvelés.

Bien plus qu'une simple façon d'accommoder les aliments, la cuisine de bistrot s'érige en art de vivre. Prendre le temps de savourer un repas en famille ou entre amis, poser la marmite sur la table et plonger des morceaux de pain croustillant dans un jus succulent et mijoté, s'abreuver de vin du terroir : voici tout ce qu'offre la chaleureuse simplicité de la cuisine de bistrot.

Bon appétit !

LA VOIX DU NORD
BETES DE SCENE
184 ans que nous sommes impliqués dans la vie de la région.

entrées

Voici une déclinaison personnelle de cette recette provençale très populaire. Les puristes argueront que si l'ajout de carottes est une invention de Parisiens, celui de gouda vieux est indispensable. Selon l'histoire locale, les ouvriers italiens attelés à la construction du chemin de fer des pignes utilisaient ce fromage hollandais dont le port de Nice faisait grand trafic.

soupe au pistou

3 cuillerées à soupe d'huile d'olive

1 oignon haché

1 petit bulbe de fenouil évidé et haché

2 courgettes hachées

200 g de pommes de terre nouvelles, en petits dés

2 tomates pelées, épépinées et hachées

2 litres de bouillon de poule

un brin de thym

1 boîte de 400 g de haricots blancs, égouttés

1 boîte de 400 g de haricots rouges, égouttés

150 g de haricots verts, en tronçons de 3 cm

50 g de spaghettis, brisés en morceaux

150 g de fromage râpé très fin (gouda vieux ou parmesan)

gros sel de mer et poivre noir moulu

Pistou

6 gousses d'ail

une petite poignée de feuilles de basilic

6 cuill. à soupe d'huile d'olive vierge extra

Pour 4 à 6 personnes

Chauffez l'huile dans une grande sauteuse et faites rissoler l'oignon, le fenouil et les courgettes à feu moyen, pendant 10 minutes environ. Ajoutez les pommes de terre, les tomates, le bouillon et le thym. Amenez à ébullition, puis couvrez et laissez frémir 15 minutes.

Incorporez les haricots blancs et rouges et laissez frémir à couvert 15 minutes supplémentaires. Salez et poivrez à votre convenance. Ajoutez les haricots verts et les spaghettis ; laissez cuire environ 10 minutes, jusqu'à ce que les pâtes soient tendres. Couvrez et laissez reposer quelques heures, ou préparez cette soupe un jour à l'avance et conservez-la au réfrigérateur. (Ne confectionnez le pistou qu'au moment de servir, il sera meilleur frais : le basilic et l'ail ne doivent pas cuire.)

Préparez le pistou en mélangeant l'huile, le basilic et l'ail à l'aide d'un mixeur ou d'un mortier : dans ce dernier cas, commencez par écraser l'ail et ajoutez l'huile à la fin, petit à petit. Cette méthode, authentique, nécessite un tour de main que je n'ai jamais maîtrisé.

Servez la soupe réchauffée et laissez vos convives ajouter pistou et fromage à leur convenance. La soupe est également délicieuse à température ambiante.

***Note** Les bouillons de type aide culinaire sont souvent déjà salés : assaisonnez modérément et goûtez en cours de cuisson.

Cette soupe rustique et reconstituante, à base d'ingrédients simples et peu onéreux, développe de délicats et savoureux arômes. Elle n'en sera que meilleure si le porc est salé par vos soins, étape très facile à réaliser. Il suffit, durant trois jours, de sacrifier un peu d'espace dans votre réfrigérateur ; le résultat en vaut largement la peine.

soupe au chou

750 g de poitrine de porc, en tranches
100 g de sel
1 oignon piqué d'un clou de girofle
1 feuille fraîche de laurier
1 chou
1 tige tendre de céleri avec ses feuilles, coupée en tronçons
7 carottes, débitées en tronçons
4 navets, coupés en tronçons
1 cuillerée à soupe de beurre, plus une par convive
750 g de petites pommes de terre nouvelles, épluchées
gros sel marin

Pour 4 à 6 personnes

Trois jours avant de préparer la soupe, déposez la viande dans un plat en verre ou en céramique et couvrez d'eau. Ajoutez le sel et remuez bien pour le faire dissoudre. Couvrez et laissez trois jours au réfrigérateur, en retournant les tranches de temps à autre. Sinon, achetez la poitrine déjà préparée chez votre boucher.

Ce délai écoulé, rincez le porc de sa saumure. Dans un grand faitout, versez 3 litres d'eau et ajoutez le porc et l'oignon. Portez à ébullition et écumez soigneusement la surface du bouillon.

Pendant ce temps, faites bouillir de l'eau dans une seconde casserole, avec la feuille de laurier. Ajoutez le chou et faites-le blanchir 5 minutes, puis laissez-le s'égoutter. Détaillez-le en tranches.

Mettez le chou émincé, le céleri, les carottes, les navets et le beurre avec le porc. Rectifiez l'assaisonnement si nécessaire. Portez de nouveau à ébullition, puis réduisez le feu, couvrez et laissez frémir 30 minutes environ. Vérifiez encore une fois l'assaisonnement.

Ajoutez les pommes de terre et laissez cuire de 20 à 25 minutes. Au moment de servir, retirez les morceaux de porc et détaillez-les en bouchées. Enlevez les couennes et les os, remettez la viande dans la soupe et servez chaud ; agrémentez l'assiette de chaque convive d'une bonne cuillerée de beurre et accompagnez de fines tranches de pain de campagne.

Cette soupe de légumes à l'ancienne est un mets sain et nourrissant. Si vous avez du mal à vous procurer de l'oseille, vous pouvez l'omettre sans risquer de nuire aux saveurs de ce mets.

soupe du potager

- 1 feuille fraîche de laurier
- 1 petit chou coupé en quatre
- 60 g de beurre
- 2 poireaux, fendus et émincés
- 1 oignon haché
- 2 cuillerées à café de sel
- 250 g de pommes de terre nouvelles, en petits dés
- un gros bouquet de persil plat, ciselé
- 250 g de petits pois frais, écossés
- 1 cœur de laitue, coupé en quatre et émincé en lanières
- un bouquet d'oseille ciselée
- beurre et/ou crème fraîche pour le service (en option)
- sel de mer et poivre noir du moulin

Pour 4 à 6 personnes

Mettez le laurier dans un faitout rempli d'eau et portez à ébullition. Faites-y blanchir le chou pendant 3 minutes ; égouttez-le et pressez-le avant de l'émincer en lanières.

Chauffez le beurre dans une grande casserole et faites revenir le chou, les poireaux et l'oignon avec 2 cuillerées à café de sel jusqu'à ce qu'ils soient tendres (5 à 10 minutes). Ajoutez les pommes de terre, le persil et 2 litres d'eau. Salez et poivrez à votre convenance puis laisser mijoter 40 minutes.

Incorporez les petits pois, la laitue, l'oseille et poursuivez la cuisson pendant 10 minutes. Rectifiez l'assaisonnement avant de répartir la soupe dans des bols. Si vous le désirez, agrémentez de beurre et/ou de crème fraîche juste avant de servir.

Il est parfois problématique de mener à bien la confection d'une authentique bouillabaisse, car les poissons qui la composent ne se trouvent qu'en Méditerranée. Développant des arômes originaux, cette alternative végétarienne et sa rouille pimentée combleront toutefois les amateurs les plus avertis. Les versions traditionnelles y incluent un œuf poché, ici volontairement omis.

bouillabaisse végétarienne

4 cuillerées à soupe d'huile d'olive
les blancs de 2 poireaux, fendus dans la longueur puis détaillés en rondelles
1 gros oignon, haché gros
1 bulbe de fenouil, évidé et haché
3 gousses d'ail pressées
3 grosses tomates bien mûres, pelées, épépinées et hachées
3 pommes de terre nouvelles, coupées en cubes
1 cuillerée à café de sel
2 litres d'eau ou de bouillon de légumes*
1 feuille fraîche de laurier
1 brin de thym
1 zeste d'orange non traitée
1 cuillerée à café de stigmates de safran
1 baguette de pain (pour les croûtons)
100 g de gruyère, râpé au dernier moment
gros sel de mer et poivre noir moulu
un gros bouquet de persil plat ciselé

Rouille

3 gousses d'ail, hachées très fin
1 ou 2 piments rouges, épépinés et hachés très fin
1 jaune d'œuf (à température ambiante)
30 cl d'huile d'olive vierge extra (environ)
sel fin et poivre noir du moulin

une plaque à pâtisserie

Pour 4 à 6 personnes

Chauffez l'huile dans une grande cocotte et faites colorer les poireaux, les oignons et le fenouil pendant 10 minutes environ. Incorporez l'ail, les tomates, les pommes de terre, le sel et laissez cuire 1 minute. Ajoutez l'eau ou le bouillon, le laurier, le thym, le zeste d'orange et le safran ; remuez. Portez à ébullition, puis réduisez le feu et laissez frémir doucement jusqu'à ce que les pommes de terre soient tendres, 10 minutes environ. Salez et poivrez, couvrez et laissez reposer une heure au moins, ou laissez refroidir et mettez une nuit au réfrigérateur.

Préparez les croûtons juste avant de servir : disposez les tranches de baguette sur la plaque à pâtisserie et faites-les brunir de 5 à 8 minutes dans le four préchauffé à 180 °C (therm. 4).

Confection de la rouille : mettez l'ail, les piments et le jaune d'œuf dans une jatte. Mélangez avec soin, puis battez vigoureusement en ajoutant l'huile petit à petit, pour obtenir une sauce de même consistance que la mayonnaise. Salez et poivrez.

Avant de servir, réchauffez la soupe si nécessaire. Placez 2 ou 3 croûtons dans chaque assiette, saupoudrez de fromage râpé et recouvrez d'une louche de soupe. Parsemez de persil haché et servez accompagné de la rouille, que chaque convive ajoutera à son gré.

***Note** Les bouillons de type aide culinaire sont souvent déjà salés : assaisonnez modérément et goûtez en cours de cuisson.

Couramment servie dans les bistrots, la gratinée se dégustait jadis au petit matin, lors des noces campagnardes : après une longue nuit d'agapes, il fallait bien reconstituer les organismes fatigués ! En voici une version simplifiée, idéale pour ventres affamés et temps frisquet.

soupe gratinée à l'oignon

50 g de beurre

1 cuillerée à soupe de bonne huile d'olive

3 très gros oignons (1,3 kg environ), finement émincés

2 gousses d'ail pressées

1 cuillerée à soupe de farine

1 litre de bouillon de bœuf ou de volaille

60 cl de vin blanc sec

1 feuille de laurier

2 brins de thym

1 baguette ou autre pain blanc, en tranches

180 g de gruyère fraîchement râpé

gros sel et poivre noir du moulin

une plaque à pâtisserie

Pour 4 à 6 personnes

Chauffez le beurre et l'huile à feu moyen dans une grande cocotte. Ajoutez les oignons et laissez-les confire à feu très doux, de 15 à 20 minutes.

Incorporez l'ail, la farine, et mélangez pendant 1 minute environ. Ajoutez le bouillon, le vin, le laurier et le thym. Assaisonnez et portez à ébullition. Laissez bouillir 1 minute puis réduisez le feu et faites mijoter doucement 20 minutes. Goûtez et ajoutez sel et poivre si nécessaire. Laisser reposer la soupe encore 30 minutes pour en améliorer la saveur.

Juste avant de servir, préchauffez le gril du four. Posez les tranches de pain sur la plaque à pâtisserie et faites-les dorer légèrement. Réservez.

Au moment de servir, versez la soupe dans des bols avant d'y déposer quelques morceaux de pain grillé. Parsemez de fromage râpé puis faites dorer dans le four. Servez sans attendre.

La cuisine traditionnelle du Pays Basque comprend maintes recettes originales, dont cette soupe de poisson pimentée, ou ttoro. Avec un bon bouillon de poisson frais, elle sera très vite confectionnée. Si coquilles et arêtes la rendent un peu délicate à déguster, elles en soulignent les saveurs : alors préparez les rince-doigts et bon appétit !

ttoro

2 cuillerées à soupe de bonne huile d'olive

1 poivron rouge épépiné et émincé en lanières

1 oignon coupé en deux et émincé

3 gousses d'ail pressées

1 piment vert, épépiné et haché

1 cuillerée à café de paprika fort

un brin de thym

1 boîte de 230 g de tomates pelées, en dés

1,5 litre de bouillon de poisson frais

250 g de filet de lotte, découpé en cubes

500 g de darnes de colin ou de cabillaud

250 g de queues de crevettes non décortiquées

25 cl de vin blanc sec

500 g de moules fraîches*

un gros bouquet de persil plat, haché

Croûtons

1 baguette, coupée en tranches

2 gousses d'ail, épluchées

Pour 4 à 6 personnes

Chauffez l'huile dans une marmite et faites rissoler le poivron et l'oignon. Incorporez l'ail, le piment, le paprika, le thym et les tomates, et laissez cuire 5 minutes.

Ajoutez le bouillon, les poissons et les crevettes. Portez à ébullition, écumez la surface et laissez mijoter de 10 à 15 minutes environ.

Pendant ce temps, faites dorer les tranches de pain de 5 à 8 minutes dans le four préchauffé à 180 °C (therm. 4). Laissez-les tiédir, puis frottez-les d'ail. Réservez.

Portez le vin à ébullition dans une grande casserole, couvrez et laissez bouillir 1 minute. Hors du feu, ajoutez les moules préparées, couvrez et remettez à feu vif 2 ou 3 minutes, jusqu'à ce qu'elles s'ouvrent. Retirez les moules de leurs coquilles, mais rejetez celles qui ne sont pas ouvertes.

Ajoutez les moules et leur jus de cuisson à la soupe. Remuez bien. Parsemez le plat de persil et servez sans attendre, avec les croûtons à l'ail.

Note* Préparez les moules 15 minutes à l'avance. Rincez-les sous l'eau froide et tapez les moules encore ouvertes sur le plan de travail. Si elles ne se referment pas, jetez-les. Grattez les autres avec une brosse dure et retirez les petits coquillages parasites, ainsi que les byssus.

Cette entrée légère et raffinée se déguste avant un copieux ragoût de viande, ou se transforme en plat principal, accompagné d'une simple salade verte.
Pour un pique-nique ou un buffet, confectionnez des tartelettes individuelles, à servir avec un vin blanc de Loire.

tarte au chèvre

200 g de farine
100 g de beurre froid, en petits morceaux
une pincée de sel
3 ou 4 cuillerées à soupe d'eau

Garniture
3 œufs
20 cl de crème fraîche
3 crottins de Chavignol
50 g de gruyère râpé
un petit bouquet de ciboulette
sel fin

papier sulfurisé et haricots secs
un moule à tarte de 27 cm de diamètre

Pour 4 à 6 personnes

Préparez la pâte : mettez la farine, le beurre et le sel dans le bol du mixeur. Donnez 5 à 6 impulsions pour briser les morceaux de beurre. Ajoutez 3 cuillerées à soupe d'eau et mixez pour obtenir une sorte de chapelure grossière ; incorporez une autre cuillerée d'eau si nécessaire, mais ne donnez pas plus de 10 impulsions.

Transférez la pâte sur une feuille de papier sulfurisé. Roulez-la en boule et aplatissez-la. Enveloppez-la dans le papier et laissez-la reposer au moins 30 minutes au réfrigérateur.

Étalez la pâte sur une surface farinée, pour obtenir un disque légèrement plus grand que le moule. Avec précaution, déposez-la dans le moule, en pressant délicatement les bords. Retirer l'excédent de pâte en passant le rouleau sur le bord supérieur du moule. Mettez le moule au réfrigérateur jusqu'à ce que la pâte durcisse, 30 minutes minimum.

Piquez la surface de la pâte à la fourchette, recouvrez de papier sulfurisé et remplissez le moule de haricots secs. Faites cuire 15 minutes dans le four préchauffé à 200 °C (therm. 6). Retirez le papier et les haricots, puis remettez à dorer de 10 à 15 minutes. Laissez la tarte refroidir avant d'y verser la garniture.

Pour la garniture : dans une terrine, fouettez les œufs et la crème avec une bonne pincée de sel. Divisez chaque crottin en trois disques et disposez-les sur la tarte. Recouvrez avec l'appareil aux œufs et parsemez de gruyère râpé et de ciboulette ciselée.

Mettez la tarte dans le four préchauffé à 200 °C (therm. 6) et laissez dorer entre 20 et 30 minutes. Servez sans attendre.

La salade verte n'est plus que rarement servie en entrée ou en accompagnement dans les bistrots. On la savoure plutôt chez soi, avant ou après le plat principal, parfois avec le plateau de fromages. Son assaisonnement préféré, la vinaigrette : je vous en livre la recette telle que l'on me l'a transmise ; abstenez-vous de l'ail cru si vous le souhaitez.

salade verte, vinaigrette à l'ail

2 cuillerées à soupe de vinaigre de vin
2 cuillerées à café de sel fin
1 cuillerée à café de moutarde de Dijon
6 cuillerées à soupe d'huile d'olive
2 gousses d'ail pressées
poivre noir moulu
250 g de jeunes pousses de salades diverses
un bouquet de persil plat, grossièrement haché
un petit bouquet de ciboulette ciselée

Pour 4 personnes

Dans le saladier, mélangez le vinaigre et le sel à la fourchette. Quand le sel est presque dissous, ajoutez la moutarde et mélangez de nouveau. Ajoutez l'huile cuillerée par cuillerée, en remuant bien pour obtenir une émulsion. Incorporez l'ail et un peu de poivre.

Pour savourer tout le mordant de l'ail, fragmentez les feuilles de salade et déposez-les dans le saladier avec le persil et la ciboulette. Remuez et servez. Pour ma part, je préfère laisser l'ail s'attendrir au moins 30 minutes dans la sauce. Attendez toujours le moment de servir avant de mettre les feuilles dans la vinaigrette, pour éviter qu'elles ne flétrissent.

L'anchoïade est une spécialité provençale que l'on savoure tartinée sur des tranches de pain grillé, ou en accompagnement de crudités. Elle devient ici un assaisonnement tout indiqué pour les tomates délicieusement mûres de l'été, à moins d'en enrober des pommes de terre nouvelles de type grenaille, bouillies et encore chaudes. Pour déguster : rosé de Provence bien frais et pain croustillant à volonté.

salade de tomates, vinaigrette à l'anchoïade

750 g de tomates grappe bien mûres

1 grosse échalote ou 1 petit oignon rouge, émincés en fines lamelles

gros sel de mer et poivre noir du moulin

Vinaigrette à l'anchoïade

1 gousse d'ail

½ cuillerée à café de moutarde

2 cuillerées à soupe de vinaigre de vin blanc

6 filets d'anchois à l'huile

8 cuillerées à soupe de bonne huile d'olive

une petite poignée de feuilles de basilic

poivre noir du moulin

Pour le service

une poignée de persil plat finement haché

quelques feuilles de basilic

Pour 4 personnes

Confection de la vinaigrette : passez l'ail, la moutarde, le vinaigre et les anchois dans un petit mixeur. Ajoutez l'huile petit à petit, puis le basilic. Poivrez et réservez.

Divisez les tomates en quatre ou huit quartiers, selon leur grosseur. Disposez-les sur une assiette et parsemez d'échalote émincée. Salez modérément et versez une cuillerée de sauce aux anchois. Saupoudrez de persil, de basilic et de poivre noir moulu. Servez à température ambiante.

salade d'endives au roquefort, céleri et noix

Les endives sont des salades un peu particulières puisqu'elles ont été « inventées » par hasard par un jardinier belge au XIXe siècle. Naguère salade d'hiver à saveur très prononcée, elle est maintenant cultivée une bonne partie de l'année et a beaucoup perdu de l'amertume de ses ancêtres. Choisissez les endives blanc nacré : elles poussent dans l'obscurité, aussi une coloration verte trahit une exposition à la lumière, donc une fraîcheur laissant à désirer. Préférez les spécimens ne dépassant pas 20 cm de long.

4 ou 5 endives (600 g environ), fendues, évidées et émincées

2 tiges de céleri finement émincées, plus quelques feuilles

75 g de roquefort émietté

50 g de cerneaux de noix concassés

un bouquet de persil plat, haché

1 baguette fraîche

Vinaigrette

2 cuillerées à soupe de vinaigre de vin

1 cuillerée à café de sel fin

1 cuillerée à café de moutarde de Dijon

7 cuillerées à soupe d'huile de tournesol

1 cuillerée à soupe d'huile de noix (en option)

poivre noir moulu

Pour 4 personnes

Vinaigrette : dans le saladier, mélangez le vinaigre et le sel à la fourchette. Quand le sel est presque dissous, ajoutez la moutarde et mélangez de nouveau. Ajoutez l'huile cuillerée par cuillerée, en remuant bien pour obtenir une émulsion. Si vous utilisez de l'huile de noix, supprimez une cuillerée d'huile de tournesol. Poivrez à votre convenance.

Au moment de servir, ajoutez les endives, le céleri, le roquefort, les noix et le persil. Remuez bien et présentez avec une corbeille de pain frais.

Avant de devoir nous soumettre au calendrier scolaire, nous prenions toujours nos vacances en septembre, à Cassis. Nos pique-niques dans les calanques s'agrémentaient souvent d'une salade de pois chiches, achetée le matin chez un boucher de la vieille ville. Confectionnée par un Algérien, elle apportait à nos repas une note d'exotisme.

salade de pois chiches

250 g de pois chiches
1 feuille fraîche de laurier
2 poivrons rouges, épépinés et émincés
2 cuillerées à soupe d'huile d'olive
1 cuillerée à café d'herbes de Provence
1 grosse échalote hachée
un bouquet de persil plat, haché
gros sel et poivre noir du moulin

Vinaigrette

2 cuillerées à café de graines de cumin
3 cuillerées à soupe de vinaigre de vin
10 cuillerées à soupe d'huile d'olive
poivre noir du moulin

Pour 4 à 6 personnes

La veille, couvrez les pois chiches d'eau froide et mettez-les au réfrigérateur. Égouttez-les avant de les transférer dans une casserole et de les couvrir à nouveau d'eau froide. Ajoutez le laurier et portez à ébullition. Réduisez la flamme à feu doux, couvrez et laissez frémir 2 heures environ. Vérifiez la cuisson de temps à autre et rajoutez de l'eau si nécessaire. Ajoutez 1 cuillerée à café de gros sel 30 minutes avant la fin de la cuisson.

Pendant ce temps, déposez les poivrons dans un petit plat allant au four, enrobez-les d'huile d'olive, d'herbes et d'une cuillerée à café de sel. Faites les brunir de 20 à 25 minutes dans le four préchauffé à 220 °C (therm. 7). Laissez tiédir, découpez-les en dés et réservez.

Préparez la vinaigrette : dans une poêle très chaude, faites griller les grains de cumin à sec, jusqu'à ce qu'ils commencent à éclater. Écrasez-les immédiatement dans un mortier.

Dans une petite jatte, mélangez le vinaigre et le sel à la fourchette. Quand le sel est presque dissous, ajoutez la moutarde et mélangez de nouveau. Ajoutez l'huile cuillerée par cuillerée, en remuant bien pour obtenir une émulsion. Incorporez le cumin et un peu de poivre.

Égouttez soigneusement les pois chiches et transférez-les dans un large saladier. Ajoutez la vinaigrette, les poivrons et l'échalote. Remuez bien et rectifiez l'assaisonnement. Incorporez le persil, mélangez, et servez tiède ou à température ambiante.

L'assiette de crudités, incontournable des cafés et bistrots parisiens, est une de mes entrées préférées. Loin du sempiternel œuf dur avec thon et maïs en boîte, elle se décline au gré de la fantaisie et des saisons. Pour en faire un repas complet, il suffit d'augmenter les quantités et de varier les compositions. N'hésitez pas à combiner pointes d'asperges, tomates cerises émincées, fèves, fines lamelles d'oignon...

crudités

2 cuillerées à soupe de vinaigre de vin

1 quartier de chou rouge émincé en lanières

250 g de petites pommes de terre nouvelles

125 g de petits haricots verts équeutés

3 carottes moyennes, râpées

1 cuillerée à soupe de jus de citron pressé

3 betteraves rouges cuites

175 g de concombre

un bouquet de persil plat, finement haché

sel fin

1 baguette bien fraîche

Vinaigrette

3 cuillerées à soupe de vinaigre de vin

1 cuillerée à café de sel fin

2 cuillerées à café de moutarde de Dijon

11 cuillerées à soupe d'huile de tournesol

poivre noir du moulin

Pour 4 personnes

Dans un bol, mélangez le vinaigre et le sel à la fourchette. Quand le sel est presque dissous, ajoutez la moutarde et mélangez de nouveau. Ajoutez l'huile cuillerée par cuillerée, en remuant bien pour obtenir une émulsion. Poivrez à votre convenance. Réservez.

Chauffez le vinaigre dans un wok, et retirez-le du feu dès qu'il commence à bouillir. Ajoutez le chou et remuez bien. Salez légèrement et réservez jusqu'à ce que le chou prenne une belle couleur fuchsia.

Pendant ce temps, mettez les pommes de terre dans une casserole et couvrez d'eau froide. Portez à ébullition, salez, et laissez cuire 15 minutes environ. Égouttez, épluchez et émincez-les en tranches fines.

Dans une autre casserole, faites bouillir de l'eau et jetez-y les haricots. Attendez entre 3 et 5 minutes pour qu'ils soient tendres. Égouttez et réservez.

Dans un saladier, mélangez les carottes, le jus de citron et une pincée de sel. Divisez chaque betterave en quatre quartiers, puis découpez-les en fins triangles. Épluchez le concombre, coupez-le en quatre dans la longueur et détaillez-le en fines tranches.

Arrangez de petits amas de chaque ingrédient sur les assiettes, en alternant les couleurs. Ajoutez quelques cuillerées de vinaigrette et parsemez de persil. Servez avec une corbeille de pain frais.

Mettez les petits plats dans les grands : proposez cette entrée légère avant d'autres mets plus consistants, ou en accompagnement de la tarte au chèvre (page 22). Si l'oseille vous fait défaut, c'est vraiment dommage ; mais les jeunes poireaux seront tout de même délicieux.

poireaux, vinaigrette aux herbes

750 g de très jeunes poireaux
4 cuillerées à soupe de vinaigre de vin
1 cuillerée à café de moutarde de Dijon
1 cuillerée à café de sel fin
25 cl d'huile de tournesol
un petit bouquet de persil plat
un petit bouquet de cresson
un petit bouquet d'estragon
3 feuilles d'oseille
poivre noir moulu
2 échalotes, émincée finement
quelques brins de ciboulette, ciselés

Pour 4 personnes

Faites cuire les poireaux à la vapeur, de 7 à 10 minutes environ. Laissez-les égoutter.

Préparez la vinaigrette : mélangez le vinaigre, la moutarde et le sel dans un petit mixeur. Ajoutez un tiers de l'huile et mélangez quelques secondes. Continuez ainsi en ajoutant l'huile petit à petit, jusqu'à obtenir une émulsion. Incorporez le persil, le cresson, l'oseille et passez 2 secondes au mixeur. Poivrez à votre convenance. (Pour la recette manuelle, voir page 25 ; vous devrez hacher les herbes à part.)

Épongez les poireaux avec du papier absorbant. Disposez-les dans une assiette de service, arrosez-les de vinaigrette et parsemez d'échalotes hachées et de ciboulette. Présentez avec un bol contenant le reste de vinaigrette.

rillettes de maquereaux

2 maquereaux avec leur tête, de 400 g chacun environ
1 oignon émincé
40 g de beurre coupé en morceaux, ramolli
un gros bouquet de persil plat
quelques tiges d'estragon
le jus d'un citron
quelques gouttes de Tabasco
gros sel et poivre noir du moulin

Court-bouillon
1 carotte, en rondelles
1 oignon émincé
1 citron non traité, coupé en tranches
1 brin de thym
1 feuille de laurier
quelques grains de poivre noir
1 clou de girofle
1 bouteille de vin blanc sec
2 cuillerées à café de sel

Pour servir
toasts ou baguette fraîche
quartiers de citron

Pour 6 à 8 personnes

Sorte de pâté grossier facile à tartiner, traditionnellement à base de porc ou d'oie, ces rillettes de maquereau poché au vin blanc sont digestes et délicieusement piquantes. Faites circuler la terrine parmi vos convives, en guise d'entrée ou pour un apéritif informel, ou étalez-les sur des crackers pour un buffet. Les restes se conservent sans problème au congélateur.

La veille, mettez tous les ingrédients du court-bouillon dans une marmite. Portez à ébullition sur feu vif, laissez bouillir 1 minute puis couvrez. Faites frémir 20 minutes à feu doux.

Pratiquez trois incisions de chaque côté des maquereaux. Déposez-les dans un grand plat avant d'y verser le court-bouillon. Faites cuire 30 minutes dans le four préchauffé à 150 °C (therm. 2). Laissez refroidir le tout, couvrez et mettez le plat une nuit au réfrigérateur.

Le lendemain, retirez les maquereaux de leur bouillon et prélevez les filets en prenant soin d'enlever les arêtes.

Mettez les filets et presque tout l'oignon dans le bol du mixeur. Ajoutez le beurre, le persil et l'estragon puis mélangez brièvement. Transférez dans la terrine et incorporez le jus de citron et le Tabasco. Poivrez abondamment. Goûtez et rectifiez l'assaisonnement.

Conservez les rillettes au réfrigérateur, et servez avec des toasts ou une baguette fraîche.

terrine de campagne
au poivre vert

250 g d'épaule de porc sans os hachée
250 g de poitrine de porc hachée
500 g de viande de veau hachée
200 g de foie de veau, haché au couteau
1 œuf battu
2 échalotes, hachées finement
2 clous de girofle écrasés
1 cuillerée à soupe de gros sel
poivre noir du moulin
2 cuillerées à soupe de grains de poivre vert en saumure, égouttés
½ cuillerée à café de cinq-épices
3 cuillerées à soupe de cognac
feuilles fraîches de laurier

Pour servir
cornichons extra-fins
beurre
baguette fraîche

une terrine rectangulaire, de 30 x 11 cm environ

papier sulfurisé

Pour 10 à 12 personnes

Lancez-vous dans la confection, simplissime, de cette terrine, et plus jamais vous n'aurez envie d'en acheter. Pour gagner encore du temps, demandez à votre boucher de hacher la viande, sauf le foie. Servez en entrée lors d'un repas informel, avec une baguette bien fraîche, du beurre et des cornichons, ou préparez de délicieux sandwichs.

Mettez les différentes viandes dans un grand saladier. Ajoutez l'œuf, les échalotes, l'ail, le sel, le poivre, le poivre vert, les cinq-épices et le cognac. Malaxez soigneusement à la main.

Garnissez le moule avec cette préparation, en pressant pour bien la répartir. Disposez les feuilles de laurier à la surface et piquez avec quelques grains de poivre vert. Déposez la terrine dans un grand plat métallique, et versez de l'eau bouillante à mi-hauteur. Couvrez la terrine de papier d'aluminium et faites cuire le bain-marie dans le four préchauffé à 180 °C (therm. 4) 1 heure et demie environ.

Sortez la terrine du four et laissez-la refroidir. Une fois à température ambiante, couvrez-la de papier sulfurisé et posez sur la surface quelques boîtes de conserve en guise de poids. Mettez le tout au réfrigérateur pour une journée minimum, trois jours si possible. Le pâté se conserve une semaine au réfrigérateur.
Servez à température ambiante.

plats du jour

Je suis friande à l'excès de la sauce beurre citron de ce mets. La sole est une belle invention de la nature, charnue et délicate, dont les arêtes ne gênent pas la dégustation. N'essayez pas d'en régaler un grand nombre d'invités, car votre poêle contiendra à peine deux de ces poissons, qu'il faut consommer immédiatement après cuisson. En revanche, deux soles s'avèrent un prétexte idéal pour un repas en tête à tête, en savourant, par exemple, un chablis bien frais.

sole meunière

farine

2 soles de 300 g environ, nettoyées et pelées

40 g de beurre

2 cuillerées à soupe d'huile de tournesol

sel fin

le jus de ½ citron

Pour servir

une poignée de persil plat haché

½ citron, en fines rondelles

Pour 2 personnes

Farinez les soles des deux côtés, puis secouez-les pour éliminer l'excédent de farine.

Mettez deux cuillerées à soupe de beurre de côté. Chauffez l'huile et le reste du beurre à feu moyen, dans une grande poêle antiadhésive. Lorsque la matière grasse grésille, mettez les soles dans la poêle et faites cuire 3 minutes sur chaque face ; après les avoir retournées, salez le côté déjà cuit.

À la fin de la cuisson, transférez les soles sur des assiettes chaudes et assaisonnez l'autre face.

Remettez la poêle sur feu vif et faites fondre le restant du beurre. Lorsqu'il grésille, baisser à feu doux et versez le jus de citron. Remuez pendant 10 secondes environ, sans laisser le beurre noircir. Versez la sauce sur les soles et parsemez de persil. Servez sans attendre, avec les rondelles de citron.

Ou comment conquérir les personnes peu friandes de poisson. La consistance charnue de la lotte se prête merveilleusement à cette préparation aux robustes saveurs provençales. Essayez, comme le préconisent les véritables amateurs, de retirer la fine membrane grise qui se trouve sous la peau ; cette opération étant néanmoins délicate, vous pouvez faire comme si de rien n'était.

gigot de mer

1 queue de lotte de 600 g environ
une douzaine de fines tranches de bacon ou de pancetta
2 cuillerées à soupe d'huile d'olive
200 g de champignons émincés
2 grosses gousses d'ail pressées
25 cl de vin blanc sec
1 kg de tomates pelées, épépinées et hachées
2 cuillerées à soupe de crème fraîche
une poignée de feuilles de basilic, hachées
gros sel de mer et poivre noir du moulin

Pour 4 personnes

Préchauffez le four à 220 °C (therm. 7). Étalez les tranches de bacon sur le plan de travail, de façon à ce qu'elles se chevauchent légèrement. Posez la lotte sur le bacon, ventre en haut. Enveloppez-la complètement avec les tranches de bacon. Retournez-la et réservez.

Chauffez l'huile dans une grande sauteuse et faites rissoler les champignons avec une pincée de sel, de 3 à 5 minutes. Ajoutez l'ail, remuez, puis mouillez avec le vin avant de cuire 1 minute à feu vif. Ajoutez les tomates avec un peu de sel et laissez mijoter 5 minutes.

Versez la sauce obtenue dans un plat à four à peine plus grand que la lotte. Installez-y le poisson et faites rôtir 15 minutes. Abaissez la température à 200 °C (therm. 6) et laissez cuire encore 30 minutes. Sortez le plat du four et posez la lotte sur une assiette. Versez la crème et le basilic dans la sauce tomate, puis remettez la lotte dans le plat et servez.

Les étals des poissonniers du Midi regorgent de ces poissons argentés ; quant au fenouil, il pousse à l'état sauvage un peu partout dans la campagne provençale. Voilà peut-être pourquoi ils s'accordent si bien. Safran et harissa apportent une note ardente qu'il sera plaisant d'adoucir avec un bandol rosé.

bar braisé
au fenouil épicé

3 cuillerées à soupe d'huile d'olive

1 oignon, en fines rondelles

3 gros bulbes de fenouil, coupés en quartiers et débarrassés du cœur, puis émincés très fins

½ litre de bouillon de poisson frais

une grosse pincée de stigmates de safran

2 petits bars, vidés, écaillés et étêtés

250 g de pommes de terre cuites et épluchées

1 ou 2 cuillerées à café de pâte de harissa

gros sel marin

Pour 2 personnes

Chauffez l'huile dans une grande sauteuse et faites rissoler l'oignon et le fenouil, 5 minutes environ. Salez modérément.

Ajoutez le bouillon et le safran, couvrez et laissez frémir 15 minutes.

Salez et poivrez l'intérieur et l'extérieur des poissons. Déposez-les sur le fenouil, couvrez et faites cuire à feu doux de 10 à 15 minutes.

Pendant ce temps, écrasez grossièrement les pommes de terre à la fourchette ; réservez.

Retirez les poissons de la sauteuse, dressez-les sur de grandes assiettes et gardez au chaud à four très doux. Remettez le fenouil à cuire 5 minutes à feu vif, puis ajoutez les pommes de terre et le harissa. Poursuivez la cuisson à couvert encore 5 minutes environ. Rectifiez l'assaisonnement puis répartissez les légumes dans les assiettes. Servez.

Variante Si vous remplacez les pommes de terre par du couscous, ne le mélangez pas au fenouil : déposez-les côte à côte dans l'assiette. Incorporez la sauce harissa au fenouil avant de servir. Pour la confection de la semoule, reportez-vous aux indications du fabricant.

Ce mets est traditionnel au Pays Basque, où le thon abonde et où le piment est particulièrement apprécié. Ce ragoût vite préparé est parfait si vous n'avez qu'une heure devant vous pour confectionner un plat généreux et savoureux.

thon marmitako

- 10 cl d'huile d'olive
- 2 oignons émincés
- 3 poivrons verts et 3 poivrons rouges, épépinés et coupés en lanières
- 750 g de steaks de thon rouge, coupés en cubes de 5 cm
- 3 gros piments verts, épépinés et coupés en lanières
- 4 tomates bien mûres, pelées, épépinées et hachées
- 4 gousses d'ail pressées
- 1 kg de pommes de terre nouvelles, épluchées et coupées en quartiers
- 1 bouteille de vin blanc sec
- gros sel et poivre noir moulu

Pour 4 personnes

Chauffez l'huile dans une grande cocotte et faites brunir les oignons et les poivrons de 3 à 5 minutes à feu vif. Transférez dans une terrine, salez et poivrez. Mettez le thon et les piments dans la cocotte et faites-les attendrir entre 3 et 5 minutes. Ajoutez les tomates, l'ail et les pommes de terre. Salez et remuez doucement.

Remettez oignons et poivrons dans la cocotte puis mouillez avec le vin et 25 cl d'eau. Portez à ébullition et laissez bouillir 1 minute ; réduisez la flamme et faites mijoter de 30 à 35 minutes à couvert. Servez sans attendre.

Pour cette adaptation contemporaine du fameux aïoli provençal, saumon et crevettes remplacent morue salée et escargots. N'utilisez que de l'huile d'olive de première qualité ; en dépit de la quantité d'ail, c'est la saveur de l'huile qui doit prédominer. Invitez de nombreux convives et servez tiède, ou à température ambiante. Faites « descendre » le tout avec un blanc ou un rosé de Provence bien frais.

le grand aïoli

4 cuillerées à soupe d'huile d'olive

4 steaks de saumon

200 g de queues de crevettes, non décortiquées

300 g de petites pommes de terre nouvelles

100 g de pointes d'asperges

1 feuille fraîche de laurier

6 petites carottes, tranchées dans la longueur

1 chou-fleur, détaillé en bouquets

1 brocoli, détaillé en bouquets

200 g de mini-courgettes, tranchées dans la longueur

6 œufs durs

200 g de petits haricots verts

150 g de tomates cerise

4 betteraves cuites

gros sel marin

Aïoli

2 jaunes d'œufs

40 cl d'huile d'olive vierge de la meilleure qualité

6 grosses gousses d'ail

sel fin

Pour 6 personnes

Chauffez 1 cuillerée à soupe d'huile dans une grande poêle antiadhésive et faites cuire le saumon 3 minutes de chaque côté. Salez et réservez. Ajoutez 1 cuillerée à soupe d'huile dans la poêle et faites cuire les crevettes de 3 à 5 minutes, jusqu'à ce qu'elles rosissent, mais pas plus (elles deviendraient dures). Assaisonnez et réservez.

Dans une cocotte, couvrez les pommes de terre d'eau froide et portez à ébullition, salez puis laissez cuire de 15 à 20 minutes. Égouttez et réservez.

Pendant ce laps de temps, faites bouillir les pointes d'asperges et les haricots verts 3 minutes dans de l'eau salée.

Faites bouillir de l'eau dans une casserole, avec le laurier. Ajoutez les carottes et retirez-les au bout de 3 ou 4 minutes, pour qu'elles soient cuites *al dente*. Mettez ensuite le chou-fleur et laissez-le s'attendrir (5 minutes). Recommencez avec le brocoli (4 minutes).

Frictionnez les courgettes avec le reste d'huile et passez-les 4 minutes sur chaque face sous le gril, ou faites-les colorer dans une poêle antiadhésive. Assaisonnez et réservez.

Préparez l'aïoli : mélangez les jaunes d'œufs dans une jatte ; ajoutez l'huile d'olive petit à petit pour obtenir une sorte de mayonnaise. Incorporez l'ail puis salez et poivrez à votre convenance.

Dressez les légumes, les poissons et les œufs durs sur un plateau collectif ou des assiettes. Servez et présentez la sauce aïoli à part.

Quoi de plus appétissant qu'une grande jatte pleine de moules chaudes et fumantes ? Je me permets ici de détourner la fameuse recette des moules marinières, si communément servies dans les bistrots.
Cette variante à ma façon évoque irrésistiblement le soleil de nos vacances estivales.

moules à la bouillabaisse

2 cuillerées à soupe d'huile d'olive
1 petit oignon haché
½ bulbe de fenouil haché
4 gousses d'ail pressées
25 cl de vin blanc sec
1 boîte de 400 g de tomates en dés
une pincée de stigmates de safran
1 kg de moules fraîches
gros sel et poivre noir du moulin
une poignée de persil plat haché

Pour 4 personnes

Chauffez l'huile dans une grande sauteuse et mettez les oignons et le fenouil à attendrir, de 3 à 5 minutes à feu doux. Ajoutez l'ail, le vin et les tomates, et laissez 1 minute à ébullition. Réduisez de nouveau à feu doux et incorporez le safran. Salez et laissez frémir 15 minutes.

Juste avant le repas, nettoyez les moules et rejetez celles qui ne se sont pas refermées. (Pour la préparation des moules, voir page 21.)

Remettez la sauteuse sur feu vif ; à ébullition de la sauce, ajoutez les moules. Couvrez et laissez cuire 2 ou 3 minutes, jusqu'à ce qu'elles soient ouvertes. Éliminez les moules fermées. Parsemez de persil et servez immédiatement.

Note En plat de résistance, les moules sont traditionnellement servies avec des frites (recette page 79).

Lors d'une paresseuse flânerie dans la charmante ville balnéaire d'Hossegor, notre attention fut attirée par l'ardoise d'un restaurant du front de mer, annonçant des chipirons à l'ail. Intrigués, nous fûmes tentés et avons donc dégusté ce qui fut un de nos repas les plus mémorables. Les chipirons sont de petits calamars à chair tendre et délicate, qu'il est sans doute peu aisé de trouver si l'on vit loin de la côte aquitaine ; les crevettes, toutefois, se prêtent idéalement à ce type d'assaisonnement. N'oubliez pas le pain frais, pour savourer la sauce jusqu'à la dernière goutte.

crevettes à l'ail

12 cl d'huile d'olive

1 kg de queues de crevettes non décortiquées

8 à 10 gousses d'ail hachées

une bonne poignée de persil plat haché

gros sel et poivre noir du moulin

quartiers de citron

Pour 4 personnes

Chauffez l'huile dans une grande sauteuse, sans la faire fumer, puis ajoutez les crevettes et l'ail. Faites revenir de 3 à 5 minutes, jusqu'à ce que les crevettes deviennent roses. Prenez garde à ne pas laisser l'ail brûler. Retirez du feu, saupoudrez de sel, de poivre et de persil ; mélangez bien et servez sans attendre, avec les quartiers de citron.

Ce poulet aux truffes du pauvre n'en mérite pas moins les honneurs de votre table. Thym et laurier apportent leur saveur exquise, acidulée par le citron.

poulet rôti
aux herbes et citron

- 1 bon poulet fermier de 1,5 kg environ
- 2 citrons non traités : l'un en quartiers, l'autre en rondelles
- 6 belles feuilles de laurier frais
- 2 branchettes de thym
- 1 ou 2 cuillerées à soupe d'huile d'olive ou 30 g de beurre
- 1 cuillerée à café de thym séché
- 1 oignon, coupé en rondelles
- 25 cl de vin blanc sec (en option)
- 1 cuillerée à soupe de beurre
- gros sel

une lèchefrite avec sa grille

Pour 4 personnes

Salez et poivrez copieusement l'intérieur du poulet avant d'y introduire les quartiers de citron, 2 feuilles de laurier et le thym.

Tirez sur la peau au niveau des blancs pour y ménager deux poches latérales ; insérez dans chacune une feuille de laurier. Répétez l'opération sur les deux cuisses. Frictionnez le poulet avec l'huile ou le beurre ; salez, poivrez et parsemez de thym séché.

Posez le poulet sur la grille de la lèchefrite en le couchant sur un côté. Versez 1 cm d'eau dans la lèchefrite et ajoutez les rondelles d'oignon et de citron. Faites cuire 40 minutes dans le four préchauffé à 220 °C (therm. 7). Retournez le poulet, et poursuivez la cuisson encore 40 minutes environ, ou percez une des cuisses de part en part avec une brochette : il doit s'en écouler un jus clair. Ajoutez un peu d'eau si nécessaire.

Sortez le poulet du four et déposez-le dans un plat ; couvrez et laissez reposer 10 minutes. Versez le vin blanc ou 25 cl d'eau dans la lèchefrite et déglacez les sucs à feu vif en grattant le fond pendant 3 ou 4 minutes. Ajoutez le beurre et mélangez. Découpez le poulet et servez-le avec le jus.

Comme toutes les recettes traditionnelles, celle-ci est riche de nombreuses variantes. D'aucuns ne jurent que par les poivrons verts, d'autres préconisent l'usage exclusif d'oignons et de piments. Par souci d'authenticité, essayez de vous procurer des piments d'Espelette, qui sont piquants sans être agressifs (mais quels que soient les piments utilisés, ayez la main légère). Servez avec du riz.

poulet basquaise

2 cuillerées à soupe d'huile d'olive

1 poulet fermier de 2 kg environ, en 8 morceaux

2 oignons, coupés en rondelles

2 poivrons rouges, épépinés et découpés en lanières

2 poivrons jaunes, épépinés et découpés en lanières

2 à 4 grosses gousses d'ail pressées

2 petits piments verts, épépinés et très finement émincés (ou ½ cuillerée à café de piments secs écrasés)

1 tranche de 2 cm d'épaisseur et de 160 g environ de jambon de Bayonne ou autre jambon non fumé, coupées en lanières

1 kg de tomates mûres, pelées, épépinées et hachées

gros sel de mer et poivre noir du moulin

Pour 4 personnes

Chauffez l'huile dans une grande sauteuse et faites dorer les morceaux de poulet côté peau, de 5 à 10 minutes. Procédez par petites quantités si nécessaire. Transférez le poulet sur un plat, salez et réservez.

Mettez l'oignon et les poivrons dans la sauteuse, salez et poivrez, puis laissez cuire de 15 à 20 minutes à feu doux. Incorporez les piments, l'ail, le jambon ; au bout d'une minute, ajoutez les tomates en remuant, puis les morceaux de poulet. Recouvrez-les avec la sauce et laissez mijoter de 30 à 40 minutes à feu doux. Rectifiez l'assaisonnement à mi-cuisson. Vous pouvez préparer ce plat à l'avance et le laisser une nuit au réfrigérateur : il n'en sera que meilleur.

Chaque terroir possède sa recette de sauté de volaille, mais cette version du Sud-Est, aux arômes suggestifs, est de loin ma préférée. Mariez le sauté avec du riz ou des pâtes fraîches, et dégustez avec un robuste collioure ou minervois rouge.

poulet sauté niçoise

2 cuillerées à soupe de bonne huile d'olive

1 poulet fermier de 2 kg environ, découpé en huit

8 gousses d'ail hachées finement

une boîte de 400 g de tomates en dés

une pincée de sucre

50 g d'olives niçoises, dénoyautées et grossièrement hachées

gros sel et poivre noir moulu

un bouquet de basilic effeuillé

Pour 4 à 6 personnes

Chauffez 1 cuillerée à soupe d'huile dans une grande sauteuse et faites dorer le poulet de toutes parts. Transférez-le sur une assiette, salez généreusement et réservez. Mettez le reste d'huile dans la sauteuse avec l'ail. Faites-le revenir 1 minute, sans le laisser brûler. Incorporez les tomates et le sucre, mélangez bien, puis ajoutez le poulet. Couvrez et laissez mijoter de 25 à 30 minutes à feu doux.

Ôtez le poulet et dressez-le sur le plat de service. Faites épaissir la sauce à feu moyen, 10 minutes environ. Salez, poivrez, et ajoutez les olives. Nappez les morceaux de poulet avec la sauce et parsemez de basilic avant de servir.

Dépourvu de terroir bien défini, ce plat se sent chez lui un peu partout, tant au restaurant qu'à la maison. Faites découper le poulet par votre boucher, et le plus dur sera fait. Vous n'avez plus qu'à régaler vos convives qui seront persuadés que vous avez transpiré toute la journée devant vos fourneaux. Un saint-estèphe rouge ou un ladoix scelleront l'accord parfait.

poulet sauté
à l'estragon

1 cuillerée à soupe de beurre

1 cuillerée à soupe d'huile de tournesol

1 poulet fermier élevé au maïs, de 2 kg environ, découpé en 6 ou 8 morceaux

2 carottes, hachées en brunoise

1 échalote ou ½ petit oignon haché

un brin de thym

2 ou 3 tiges de persil plat

un bouquet d'estragon

3 cuillerées à soupe de crème fraîche

gros sel et poivre noir du moulin

Pour 4 personnes

Faites fondre le beurre avec l'huile dans une grande sauteuse. Faites dorer les morceaux de poulet 5 minutes environ, puis déposez-les sur une assiette. Salez et poivrez.

Faites revenir les carottes et l'échalote 1 minute environ, en remuant. Remettez le poulet dans la sauteuse et étendez d'eau jusqu'à mi-hauteur. Ajouter le thym, le persil et quelques brins d'estragon. Couvrez et laissez mijoter 30 minutes.

Pendant ce temps, effeuillez le reste des tiges d'estragon, hachez les feuilles finement et réservez. Mettez les tiges effeuillées avec le poulet.

Transférez le poulet sur le plat de service. Enlevez et jetez les tiges d'estragon. (Vous pouvez préparer cette recette à l'avance, jusqu'à cette étape.)

Faites réduire la sauce à feu vif puis passez-la au tamis. Reversez-la dans la sauteuse, ajoutez la crème fraîche et l'estragon haché. Réchauffez brièvement le mélange, sans le faire bouillir, et versez sur le poulet. Servez sans attendre.

Je n'insisterai jamais assez sur le fait qu'une pintade s'achète toujours chez un bon boucher ou chez un éleveur. Le résultat en vaut vraiment la peine ! La pintade de supermarché est à ce point décevante que n'importe quel bon poulet fermier donnera de meilleurs résultats. Heureusement, les lentilles sont toujours à la hauteur.

pintade aux lentilles

1 pintade de 1, 5 kg environ
3 cuillerées à soupe d'huile d'olive
250 g de lentilles vertes du Puy
1 branchette de thym
1 feuille de laurier
4 belles échalotes hachées
2 carottes, hachées en brunoise
150 g de lardons
25 cl de vin blanc sec
gros sel et poivre noir du moulin

une lèchefrite avec sa grille

Pour 4 personnes

Frictionnez la pintade avec une cuillerée d'huile d'olive, et assaisonnez-la bien, tant à l'intérieur qu'à l'extérieur. Déposez-la sur la grille de la lèchefrite et faites-la rôtir dans le four préchauffé à 220 °C (therm. 7), jusqu'à ce qu'elle soit dorée, 1 heure environ.

En même temps, mettez les lentilles, le thym et le laurier dans une casserole et couvrez d'eau. Portez à ébullition, réduisez la flamme et laissez mijoter à couvert 25 minutes environ, pour que les lentilles soient tendres. Égouttez et salez modérément.

Chauffez le reste de l'huile dans une poêle et faites revenir les carottes et les échalotes de 3 à 5 minutes. Ajoutez les lardons et remuez jusqu'à ce qu'ils brunissent. Mouillez avec le vin et laissez réduire de moitié, à feu vif. Incorporez les lentilles, retirez les herbes et réservez.

Sortez la pintade du four et laissez-la reposer 10 minutes. Découpez et servez immédiatement, avec les lentilles.

On ne présente plus le magret de canard, mets succulent et raffiné ; choisissez toutefois votre fournisseur avec discernement. Je vous suggère de l'accompagner par de classiques pommes de terre sautées. Servez avec un madiran.

magret de canard aux deux poivres

2 magrets de canard, de 300 à 350 g chacun

3 cuillerées à soupe de cognac

20 cl de crème fraîche

1 cuillerée à soupe de grains de poivre noir concassé

1 cuillerée à soupe de grains de poivre vert en saumure, égouttés

gros sel marin

Pour 2 personnes

Dégraissez les magrets, puis quadrillez la peau en petits losanges.

Mettez une poêle à fond épais sur le feu. Lorsqu'elle est chaude, déposez les magrets, côté peau sur le fond, et saisissez-les de 7 à 8 minutes. Retournez-les et laissez cuire 4 ou 5 minutes, selon leur épaisseur. Retirez-les et réservez au chaud.

Débarrassez la poêle de presque toute la graisse. Remettez-la sur le feu et versez le cognac, puis grattez le fond avec une cuillère en bois. Ajoutez la crème et les deux poivres, et laissez cuire 1 minute.

Taillez des tranches dans la longueur des magrets, en tenant le couteau en diagonale. Dressez-les sur les assiettes et nappez-les de sauce. Servez sans attendre.

Un plat automnal, pour emplir la maisonnée d'arômes appétissants et oublier le froid et les jours qui s'amenuisent... Vin, cognac et porto se marient en une sauce riche et veloutée, que vient tempérer la douceur des pruneaux. Accompagnez de tagliatelles fraîches, enrobées de beurre crémeux. Le poulet peut s'accommoder de la même façon, à condition de réduire le temps de cuisson.

lapin aux pruneaux

1 lapin, découpé en 7 ou 8 morceaux
2 cuillerées à soupe d'huile de tournesol
30 g de beurre
2 oignons, émincés en demi-rondelles
200 g de lardons
100 g de farine environ
12 cl de porto
400 g de pruneaux d'Agen
1 cuillerée à soupe de crème fraîche
gros sel et poivre noir moulu

Marinade
1 oignon haché
1 carotte hachée
2 gousses d'ail pressées
2 branchettes de thym
1 feuille de laurier
1 bouteille de vin rouge
25 cl de cognac
quelques grains de poivre

Pour 4 personnes

La veille, mélangez les ingrédients de la marinade dans un grand saladier. Ajoutez le lapin, couvrez et laissez une nuit au réfrigérateur.

Égouttez le lapin et essuyez-le avec du papier absorbant. Tamisez la marinade, mais gardez le thym et laurier.

Chauffez 1 cuillerée à soupe d'huile et la moitié du beurre dans une cocotte. Faites brunir les oignons et les lardons 5 minutes à feu vif. Retirez-les de la cocotte et réservez.

Farinez légèrement les morceaux de lapin. Mettez le reste d'huile et de beurre dans la cocotte ; lorsque la matière grasse grésille, faites colorer le lapin sur toutes ses faces. Ajoutez la marinade, les oignons et les lardons, puis le porto. Remettez le thym et le laurier, salez et poivrez. Portez à ébullition et écumez la surface du bouillon ; réduisez le feu et laissez mijoter 45 minutes à couvert. Rectifiez l'assaisonnement.

Ôtez les morceaux de lapin et réservez-les. Déposez les pruneaux dans la cocotte et faites épaissir la sauce de 10 à 15 minutes à feu moyen. Versez la crème fraîche, remuez, et ajoutez le lapin. Faites réchauffer sans laisser bouillir. Servez sans attendre.

rôti de porc mariné

Si la viande de porc est pour vous synonyme de fadeur, il est temps de réviser votre jugement. Elle s'accommode de mille façons, et se prête remarquablement aux marinades. Quant aux restes, ils sont aussi délicieux, sinon plus, que le plat lui-même. Je vous livre cette recette extraite de l'un de mes ouvrages culinaires préférés, *La Cuisine de Mme Saint-Ange*, publié en 1927. Servez avec un gratin de chou-fleur crémeux (voir recette page 109), ou des légumes braisés.

1 bouteille de vin blanc sec
50 cl de vinaigre de vin blanc
1 gros oignon, en rondelles
2 carottes, en fins tronçons
1 feuille fraîche de laurier
une branchette de thym
1 branche de céleri, avec ses feuilles
2 gousses d'ail émincées
1 cuillerée à café de grains de poivre
2 cuillerées à soupe de gros sel
2 ou 3 feuilles de sauge fraîche
1 rôti de porc dans l'échine, désossé, de 1,5 kg environ

Pour 4 à 6 personnes

L'avant-veille, mettez tous les ingrédients dans une grande jatte. Couvrez et laissez mariner 2 jours au réfrigérateur, en retournant régulièrement la viande.

Ôtez le porc de sa marinade et déposez-le dans un plat à four. Ajoutez les légumes et aromates marinés. Faites cuire 1 heure 30 dans le four préchauffé à 200 °C (therm. 6), en arrosant de temps en temps avec la marinade. Servez immédiatement.

Crème, pommes et cidre... la Normandie s'invite à votre table. Le porc longuement mijoté et sa sauce succulente déclinent des arômes délicats, propres à séduire les palais des petits comme des grands. Dégustez avec le même cidre qui a servi pour la cuisson, ou un vin rouge de Loire.

porc au cidre et aux deux pommes

30 g de beurre

2 oignons émincés

1 cuillerée à soupe d'huile de tournesol

1 morceau de jarret de porc de 1,8 kg environ

1,5 litre de cidre brut

2 brins de thym

800 g de pommes de terre nouvelles, coupées en deux dans le sens de la longueur

12 cl de crème fraîche épaisse

gros sel et poivre noir moulu

Pommes

60 g de beurre

5 pommes acides de type Braeburn épluchées, évidées et coupées en tranches

Pour 4 personnes

Faites fondre le beurre dans une marmite et laissez les oignons fondre 5 minutes à feu doux, sans les brunir. Retirez les oignons. Ajoutez l'huile et faites dorer le rôti de toutes parts à feu vif. Déposez-le sur une assiette, assaisonnez et réservez.

Déglacez les sucs avec un peu de cidre. Remettez la viande et les oignons, mouillez avec le reste de cidre et ajoutez le thym. Salez et poivrez modérément puis portez à ébullition. Laissez bouillir 1 minute, écumez la surface du bouillon et transférez la marmite dans le four préchauffé à 150 °C (therm. 2). Laissez cuire 4 heures, en retournant régulièrement le rôti. Rectifiez l'assaisonnement à mi-cuisson.

Au bout de 3 heures, ajoutez les pommes de terre.

Sortez la marmite du four. Dressez le rôti et les pommes de terre dans un plat et couvrez pour les maintenir au chaud. Faites réduire la sauce à feu vif, de 10 à 15 minutes.

En même temps, préparez les pommes : faites fondre le beurre dans une grande poêle et faites ramollir et dorer les pommes, de 5 à 10 minutes à feu vif. Procédez en deux fois, si nécessaire.

Découpez le rôti et dressez-le sur les assiettes avec les pommes et les pommes de terre. Mélangez la crème avec la sauce et servez sans attendre.

Grand classique de la cuisine de bistrot, cette recette se doit d'être préparée avec les meilleurs ingrédients : la réussite de ce plat piquant et vinaigré en dépend. Servez avec une bonne purée de pommes de terre.

côtes de porc charcutière

4 côtes de porc épaisses, découennées
huile d'olive
gros sel et poivre noir moulu

Sauce à la moutarde et au vinaigre

6 cl de vin rouge ou blanc
25 cl de bouillon de volaille maison
6 cl de vinaigre à l'estragon
40 g de beurre
3 échalotes, hachées très fin
1 cuillerée à soupe de farine
2 cuillerées à café de concentré de tomates
1 cuillerée à café de moutarde de Dijon
8 cornichons extra-fins, coupés en rondelles
les feuilles hachées d'une tige d'estragon
un petit bouquet de persil plat, haché

Pour 2 à 4 personnes

Confectionnez la sauce : mélangez le vin et le bouillon dans une petite casserole. Faites bouillir 1 minute, puis ajoutez le vinaigre. Réservez.

Dans une autre casserole, faites fondre le beurre. Ajoutez les échalotes et laissez-les ramollir de 3 à 5 minutes. Farinez et remuez 1 minute. Mouillez avec le bouillon et le concentré de tomates. Mélangez soigneusement et laissez mijoter 15 minutes.

Pendant ce temps, huilez légèrement un gril en fonte et chauffez-le à feu vif. Lorsqu'il est assez chaud, faites cuire les côtes de porc 4 minutes sur chaque face. Salez et poivrez de chaque côté.

Incorporez la moutarde, les cornichons, l'estragon et le persil à la sauce. Servez de suite avec la viande.

cassoulet

Ne vous laissez pas rebuter par l'apparente complexité de la recette : ce régal du Sud-Ouest est en fait très simple à élaborer. Choisissez de bonnes saucisses et un honnête confit de canard, prévoyez de nombreux récipients, une grande marmite, des convives affamés, et le tour est joué.

Haricots

850 g de haricots secs

300 g de lard en tranche épaisse, non fumé

les couennes de 4 côtes de porc

1 carotte, hachée en brunoise

1 feuille fraîche de laurier

1 oignon piqué de 2 clous de girofle

4 gousses d'ail entières

1 cuillerée à café de sel

Viande

1 cuillerée à soupe d'huile d'olive

750 g de travers de porc

750 g d'épaule d'agneau, désossée et détaillée en cubes

1 oignon haché

3 gousses d'ail pressées

1 boîte de 400 g de tomates en dés

1 feuille de laurier

2 litres de bouillon de volaille maison

6 cuisses de canard confites

10 saucisses de Toulouse

chapelure

gros sel et poivre noir moulu

Pour 8 personnes

La veille, mettez dès le matin les haricots à tremper dans beaucoup d'eau froide, et laissez-les 6 heures minimum.

Égouttez les haricots. Mettez-les dans une grande casserole et couvrez-les d'eau froide. Portez à ébullition et laissez frémir 10 minutes. Égouttez de nouveau. Remettez-les dans la casserole avec le lard, les couennes, les carottes, le laurier, l'oignon et l'ail. Recouvrez d'eau jusqu'à 5 cm environ et portez à ébullition. Réduisez à feu doux et laissez mijoter 1 heure. Ajoutez le sel et poursuivez la cuisson encore 30 minutes. Laissez refroidir et mettez au réfrigérateur pour la nuit, sans égoutter.

En même temps, préparez le ragoût de viande. Chauffez l'huile dans une grande poêle et faites colorer le porc et l'agneau. Ajoutez l'oignon et l'ail, puis, 3 minutes après, les tomates, le laurier et le bouillon. Assaisonnez, portez à ébullition et écumez, puis réduisez la flamme et laissez mijoter 1 heure et demie à couvert. Salez et poivrez à votre goût. Laissez refroidir et mettez au réfrigérateur pour la nuit.

Le lendemain, 3 heures avant de servir, débarrassez le ragoût de sa pellicule grasse. Récupérez les parties charnues des travers de porc, remettez-les dans le ragoût et jetez les os. Faites légèrement tiédir les haricots puis égouttez-les, mais réservez le liquide. Assaisonnez. Chauffez une grande poêle et faites rissoler les confits de canard. Détaillez-les en morceaux et réservez. Dans la même poêle, faites colorer les saucisses. Conservez la graisse de cuisson.

Passons maintenant à l'assemblage. Transférez le lard et les couennes dans un grand plat à four. Recouvrez avec un tiers des haricots. Disposez les morceaux de confit au centre, et les saucisses sur le pourtour. Versez le ragoût par-dessus, puis couvrez avec le reste des haricots. Mouillez avec quelques cuillerées de leur liquide de trempage et saupoudrez de chapelure. Faites cuire 30 minutes dans le four préchauffé à 220 °C (therm. 7).

Abaissez la température à 190 °C (therm. 5). Brisez délicatement la croûte du cassoulet et versez encore un peu de liquide ; rajoutez de la chapelure. Laissez cuire deux heures en répétant cette dernière opération toutes les 30 minutes (le cassoulet ne doit pas se dessécher et la croûte doit devenir bien dorée).

Répartissez dans les assiettes et servez chaud.

Fleuron des menus et cartes de bistrot, le steak frites s'agrémente ici d'un beurre d'échalotes, à titre de fantaisie. Le plat authentique se savoure simplement avec de la moutarde de Dijon (par pitié, pas de ketchup !). Pour de bonnes frites fermes et croustillantes, choisissez des pommes de terre farineuses et faites-les frire en deux bains.

steak frites

4 steaks (entrecôte ou faux-filet) de 300 g environ, épais de 3 cm

1 cuillerée à soupe d'huile de tournesol

gros sel et poivre du moulin

Beurre d'échalotes

100 g de beurre ramolli

2 échalotes, hachées très fin

15 cl de vin rouge

une belle tige d'estragon

quelques brins de persil plat

1 cuillerée à café de gros sel

½ cuillerée à café de poivre noir concassé

Frites

500 g de pommes de terre farineuses

huile de tournesol

sel

une grande poêle à frire avec panier, ou une friteuse électrique

Pour 4 personnes

Pour préparer le beurre d'échalotes, faites fondre 25 g de beurre à feu doux dans une casserole. Faites suer les échalotes pour les attendrir. Mouillez avec le vin, portez à ébullition et laissez évaporer, pour obtenir un mélange sirupeux. Laissez tiédir.

Passez brièvement les échalotes tièdes au mixeur avec le reste du beurre, l'estragon, le persil, le sel et le poivre. Transférez ce mélange sur un carré de papier sulfurisé et façonnez-le en cylindre. Roulez-le dans le papier et mettez-le à durcir au réfrigérateur.

Préparez les frites : épluchez les pommes de terre et détaillez-les en bâtonnets de 5 mm de section. Mettez les frites dans une bassine d'eau glacée, et laissez-les 5 minutes au moins. Au moment de la cuisson, égouttez et essuyez les frites avec du papier absorbant.

Remplissez la poêle à frire avec l'huile ; chauffez-la à 190 °C, ou jetez un croûton de pain dans la friture : il doit dorer en 30 secondes. Déposez 2 grosses poignées de frites dans le panier, immergez-le doucement dans l'huile et ressortez-le au bout de 4 minutes. Égouttez les frites sur du papier absorbant. Opérez de même pour le reste des frites, en procédant toujours par petites quantités. Retirez tous les débris à l'écumoire, puis ramenez l'huile à bonne température pour le deuxième bain de friture (2 minutes à chaque fois environ, pour de belles frites dorées). Égouttez à nouveau, salez. Gardez les frites au chaud dans le four en attendant le service.

Huilez légèrement les steaks. Chauffez un gril en fonte et faites cuire la viande 1 ou 2 minutes sur chaque face pour un steak très saignant ; pour un steak à point, retournez et faites cuire 2 ou 3 minutes de plus sur chaque côté.

Dressez la viande sur les assiettes et laissez-la reposer un instant. Garnissez d'une rondelle de beurre d'échalote et de frites.

Loués soient les mariniers du Rhône à qui, paraît-il, nous devons cette fabuleuse recette. Si je devais prendre aujourd'hui mon dernier repas, c'est une brouffade que je dégusterais, avec de la purée de pommes de terre, une salade verte et un bon côtes-du-rhône.

brouffade

- 15 cl d'huile d'olive
- 8 gousses d'ail pressées
- un petit bouquet de persil plat, haché
- 1 cuillerée à café de poivre noir concassé
- 1 feuille fraîche de laurier
- 1 branchette de thym
- 1 branche tendre de céleri, non effeuillée
- 4 tranches de rumsteck, de 300 g chacune environ
- 4 oignons, en demi-rondelles
- 3 cuillerées à soupe de câpres, égouttées
- 12 cornichons hachés en brunoise
- 10 filets d'anchois à l'huile, hachés finement
- 1 cuillerée à soupe de farine
- 3 cuillerées à soupe de vinaigre de vin rouge

Pour 4 à 6 personnes

La veille, mélangez l'huile, l'ail, le persil, le poivre, le laurier, le thym et le céleri dans un plat assez profond. Ajoutez les steaks et enrobez-les bien avec le mélange. Recouvrez d'un film plastique et laissez une nuit au réfrigérateur ; retournez la viande deux fois.

Mélangez les oignons, les câpres et les cornichons dans un bol.

Mélangez la farine avec les anchois. Ôtez la viande de la marinade et ajoutez le vinaigre et les anchois.

Prenez une cocotte avec couvercle, profonde et juste assez large pour contenir deux steaks côte à côte. Mettez-y un tiers du mélange aux oignons avant de déposer les steaks. Recouvrez avec la moitié de la marinade. Continuez avec un tiers d'oignons, puis les deux autres steaks, le reste de la marinade, et enfin le dernier tiers des oignons.

Mouillez avec 25 cl d'eau environ. Découpez un cercle de papier sulfurisé au diamètre de la cocotte et posez-le sur les oignons, afin de bien concentrer les sucs de cuisson. Couvrez et faites cuire 3 heures dans le four préchauffé à 150 °C (therm. 2). Servez immédiatement.

Je situe ce modeste chef-d'œuvre de l'art culinaire très haut sur l'échelle des petits plaisirs de l'existence. La viande fond pratiquement sous la langue, le jus riche et velouté est imprégné de la douce saveur des carottes... Un candidat de choix pour les pommes de terre et les tagliatelles, ou mieux encore, le gratin de macaronis (page 118), ou les haricots verts à l'ail (page 106). Testez avec les différents morceaux de bœuf se prêtant à un long mijotage.

bœuf braisé aux carottes

2 cuillerées à soupe d'huile d'olive
1,5 kg de poitrine de bœuf roulée
1,5 kg de carottes
150 g de lardons
1 oignon en rondelles
2 gousses d'ail pressées
1 feuille de laurier
1 brin de thym
1 petite tige de céleri
50 cl de vin blanc sec
gros sel et poivre noir moulu

Pour 4 à 6 personnes

Chauffez 1 cuillerée à soupe d'huile dans une grande cocotte et faites brunir uniformément la viande. Transférez-la sur un plat et salez généreusement.

Chauffez le reste de l'huile et faites colorer les carottes de 3 à 5 minutes, avec 1 cuillerée à café de sel. Retirez-les et réservez.

Faites roussir les lardons et l'oignon à feu vif, de 3 à 5 minutes.

Ajoutez l'ail, le laurier, le thym, le céleri, le bœuf et les carottes. Mouillez à hauteur avec le vin et un peu d'eau. Portez à ébullition, couvrez et faites cuire 3 heures dans le four préchauffé à 150 °C (therm. 2). Retournez la viande au moins une fois en cours de cuisson.

Saupoudrez de poivre et servez le bœuf avec la garniture de votre choix.

L'art d'accommoder les restes : comme le rappelle ce mets très classique, l'authentique cuisine de bistrot ne se mitonne pas avec des morceaux de choix et autres sauces élaborées. S'il vous reste du bœuf braisé (page 83), voilà comment le déguster deux fois. N'hésitez pas à mélanger plusieurs restes de viandes différentes. Servez ce plat estival pour un repas léger, avec une salade verte et un vin rouge fruité.

tomates farcies

2 cuillerées à soupe de bonne huile d'olive

4 échalotes, hachées fin

3 belles gousses d'ail pressées

100 g de lardons hachés

3 cuillerées à soupe de vin blanc sec

12 grosses tomates à farcir

400 g de bœuf haché

1 œuf

4 cuillerées à soupe de chapelure

½ cuillerée à café d'herbes de Provence

1 bouquet de persil plat haché finement

gros sel et poivre du moulin

un grand plat à four, huilé avec 2 cuillerées à soupe d'huile d'olive

Pour 4 à 6 personnes

Chauffez l'huile dans une poêle. Faites suer l'ail et les échalotes, de 3 à 5 minutes. Ajoutez les lardons et faites-les dorer de 3 à 5 minutes. Mouillez avec le vin et poursuivez la cuisson jusqu'à évaporation. Transférez dans une jatte et réservez.

Découpez un chapeau sur chaque tomate. Épépinez délicatement ces dernières à l'aide d'une petite cuillère. Essuyez l'intérieur avec du papier absorbant, puis assaisonnez de sel et de poivre. Réservez.

Ajoutez le bœuf au mélange d'échalotes, puis mélangez avec l'œuf, la chapelure, les herbes, le persil et une cuillerée à café de sel. Faites revenir la farce dans une poêle et assaisonnez.

Remplissez les tomates avec la farce, en tassant pour obtenir de petits monticules. Remettez leurs chapeaux en place et disposez-les sur le plat huilé. Faites cuire et dorer 30 minutes environ dans le four préchauffé à 200 °C (therm. 6).

Variante Confectionnez des petits farcis, autre spécialité provençale, en utilisant le même type de farce pour des courgettes, aubergines, poivrons… et même des artichauts et des champignons. Parsemez avant cuisson d'un mélange de chapelure, de persil haché, d'ail pressé et de parmesan râpé.

Antoine-Augustin Parmentier introduisit la pomme de terre en France à la fin du XVIIIe siècle. Ce plat délicieux, simple hachis de bœuf niché entre deux couches de purée crémeuse, n'a rien de sophistiqué, mais se savoure avec reconnaissance pour ce bienfaiteur. Ayez de préférence recours à un reste de viande bouillie ou mijotée ; toutefois, le bœuf haché employé ici est cuit au vin et assaisonné de façon à restituer des saveurs très voisines. Servez avec un rouge fruité.

hachis parmentier

30 g de beurre ou 2 cuillerées à soupe d'huile de tournesol
2 oignons hachés
2 gousses d'ail
750 g de viande de bœuf hachée
70 g de lard, finement haché
12 cl de vin blanc sec
un bouquet de persil haché
une branchette de thym, effeuillée
2 cuillerées à soupe de concentré de tomate
50 g de gruyère râpé
gros sel et poivre noir moulu

Purée

2 kg de pommes de terre
1 feuille de laurier
25 cl de lait chaud
100 g de beurre en petits morceaux
sel

un plat à four de 30 cm de long environ, préalablement beurré

Pour 4 à 6 personnes

Mettez les pommes de terre et le laurier dans une casserole d'eau froide. Portez à ébullition, salez et laissez frémir jusqu'à cuisson complète. Égouttez.

Transférez les pommes de terre dans une grande jatte et écrasez-les grossièrement avec une cuillère en bois. Continuez au mixeur, en ajoutant le lait et le beurre petit à petit. Salez et battez au fouet, pour obtenir une consistance crémeuse. Rajoutez un peu de lait, de beurre ou de sel si nécessaire. Réservez.

Chauffez le beurre dans une poêle et faites dorer les oignons de 3 à 5 minutes. Ajoutez l'ail, le bœuf et le lard haché, et laissez le mélange colorer uniformément. Mouillez avec le vin puis faites cuire jusqu'à ce qu'il soit presque entièrement évaporé. Ajoutez le persil, les feuilles de thym et le concentré de tomates ; remuez et rectifiez l'assaisonnement.

Étalez la moitié de la purée au fond du plat. Ajoutez le bœuf et aplanissez avec une cuillère. Recouvrez avec le reste de purée. Saupoudrez de fromage et faites dorer 30 minutes environ dans le four préchauffé à 200 °C (therm 6).

Dans le Sud-Ouest, il est coutumier d'aromatiser l'agneau avec des anchois. Une longue cuisson au vin blanc les fond en une sauce succulente et rend la viande tendre à souhait. Accompagnez d'un plat de tagliatelles, de pommes de terre ou de flageolets.

agneau à la gasconnade

1 gigot dégraissé de 1,5 kg environ
14 filets d'anchois
2 cuillerées à soupe d'huile d'olive
2 oignons hachés
2 carottes hachées
3 gousses d'ail pressées
2 tomates, pelées, épépinées et hachées
1 bouteille de 75 cl de vin rouge
2 branchettes de thym
1 feuille fraîche de laurier
1 cuillerée à soupe de concentré de tomates
gros sel

Pour 4 à 6 personnes

Incisez le gigot de tous côtés et insérez les filets d'anchois dans les fentes.

Chauffez l'huile dans une cocotte assez grande pour contenir le gigot. Faites-le colorer uniformément. Transférez-le sur un plat, assaisonnez et réservez.

Mettez les oignons et les carottes dans la cocotte et faites dorer le mélange de 3 à 5 minutes à feu vif. Ajoutez l'ail et les tomates, laissez cuire 1 minute, puis ajoutez le vin, le thym, le laurier et le concentré de tomates. Portez à ébullition. Au bout d'une minute, remettez le gigot dans la cocotte, couvrez et faites cuire une heure et demie dans le four préchauffé à 180 °C (therm. 4). Tournez le gigot toutes les 20 minutes environ. Retirez le thym et le laurier avant de servir.

Ce ragoût printanier m'évoque les repas dominicaux en famille, de ceux qui débutent par l'apéritif avec amuse-gueule et s'achèvent, en fin d'après-midi, devant une tarte aux pommes (page 132) et un café. Servez avec de petites pommes de terre nouvelles et une bouteille de saint-émilion, puis offrez une salade verte et un copieux plateau de fromages avant de passer au dessert.

navarin d'agneau

1 cuillerée à soupe d'huile de tournesol

700 g de collier d'agneau, détaillé en cubes

500 g de côtes de gigot, découpées en morceaux

1 cuillerée à soupe de farine

2 tomates bien mûres, pelées, épépinées et hachées

2 gousses d'ail pressées

60 cl de bouillon d'agneau ou de volaille maison

1 feuille de laurier

1 brin de thym

4 petites carottes nouvelles, en tronçons de 3 cm

200 g de petits poireaux, en tronçons de 5 cm

200 g de petits navets nouveaux

200 g de pois gourmands, coupés en morceaux

un bouquet de persil plat haché

gros sel et poivre noir moulu

Pour 4 personnes

Chauffez l'huile dans une grande sauteuse et faites bien dorer tous les morceaux de viande. Baissez légèrement la flamme et ajoutez la farine et le sel. Cuisez 1 minute en remuant, pour enrober uniformément la viande.

Ajoutez l'ail, les tomates et les herbes, puis mouillez avec le bouillon. Portez à ébullition et écumez la surface du liquide. Baissez à feu doux, couvrez et laissez mijoter 40 minutes.

Incorporez les carottes, les navets et les poireaux. Prolongez la cuisson de 25 minutes. Rectifiez l'assaisonnement.

Ajoutez les pois gourmands et faites cuire encore 7 minutes. Parsemez de persil et servez de suite.

accompagnements

Ce bon vieux céleri doit souvent se contenter du statut de simple ingrédient, alors qu'il mérite bien d'être mis en vedette, comme dans cette recette provençale. Assaisonné avec tomates et anchois, il fera un parfait compagnon de table pour un rosbif ou des steaks grillés.

céleri braisé

- 2 bouquets de céleri
- 2 cuillerées à soupe d'huile d'olive
- 75 g de lardons
- 1 oignon, découpé en quartiers puis émincé
- 1 carotte fendue en deux et coupée en demi-rondelles
- 2 gousses d'ail émincées
- 1 boîte de 200 g de tomates pelées et hachées
- 25 cl de vin blanc sec
- 1 feuille verte de laurier
- 50 g ou 8 filets d'anchois en conserve, hachés
- un bouquet de persil plat, haché
- gros sel et poivre noir du moulin

Pour 4 à 6 personnes

Retirez les tiges extérieures coriaces du céleri et coupez les deux bouquets au ras des feuilles.

Faites bouillir de l'eau salée dans une grande casserole. Réduisez la flamme et faites blanchir les céleris 10 minutes dans l'eau frémissante. Égouttez-les et essuyez-les avec du papier absorbant.

Chauffez l'huile dans une sauteuse et faites légèrement roussir les lardons, l'oignon et les carottes. Ajoutez le céleri et cuisez-le jusqu'à ce qu'il soit à peine coloré, puis retirez-le.

Incorporez l'ail et laissez cuire 1 minute. Ajoutez les tomates, le vin et le laurier. Remettez le céleri dans la sauteuse, couvrez et faites mijoter 30 minutes à feu doux. Retournez le céleri à mi-cuisson.

Dressez le céleri sur le plat de service. Faites légèrement réduire la sauce à feu vif, pendant 10 minutes environ. Nappez-en le céleri, et parsemez avec les anchois et le persil avant de servir.

Accompagnement idéal pour volailles rôties et poissons grillés, la traditionnelle recette des petits pois cuits à l'étuvée s'étoffe ici de tendres pointes d'asperges. Pour varier, ajoutez au dernier moment 75 g de petits lardons grillés. Le cerfeuil peut-être remplacé par du persil plat haché.

petits pois, asperges et laitues
à la française

75 g de beurre

3 ou 4 petites échalotes, émincées en fines rondelles

3 sucrines ou 3 cœurs de laitue, partagées en deux

400 g de petits pois frais, écossés

gros sel

pluches de cerfeuil ou ciboulette ciselée

Pour 4 personnes

Faites fondre la moitié du beurre dans une cocotte puis ajoutez les échalotes et la laitue ; laissez-les attendrir de 8 à 10 minutes à couvert, en remuant souvent.

Salez, ajoutez le reste du beurre et les asperges. Faites cuire 5 minutes.

Incorporez les petits pois, couvrez et poursuivez la cuisson pendant 3 minutes. Assaisonnez, et parsemez avec les herbes juste avant de servir.

Variante Pour un plat plus copieux, ou pour un plat unique léger, ajoutez 300 g de carottes nouvelles avec une cuillerée d'eau en même temps que la laitue. Avant de servir, ajoutez 500 g de petites pommes de terre nouvelles cuites à l'eau, avec une noix de beurre ou une cuillerée de crème fraîche.

La saison venue, il n'est pas rare de voir apparaître sur les menus le fameux gratin de courge, simple purée enrichie d'une béchamel et nappée de chapelure dorée et croustillante. Cette variante s'agrémente de riz, qui donne une texture intéressante et permet de servir le gratin en plat unique, accompagné d'une simple salade verte.

gratin de courge au riz

1,5 kg de courge
3 cuillerées à soupe d'huile d'olive
100 g de riz à long grain
un brin de thym
3 cuillerées à soupe de chapelure
un petit bouquet de persil plat, finement haché
3 cuillerées à soupe de crème fraîche
75 g de gruyère râpé
gros sel et poivre noir moulu

un grand plat à gratin, beurré

Pour 8 personnes, ou 6 personnes en plat unique

Épluchez la courge et retirez les graines, puis détaillez-la en petits cubes. Mettez-la dans une grande casserole avec 2 cuillerées à soupe d'huile, une pincée de sel et 25 cl d'eau. Faites cuire à feu doux de 20 à 30 minutes, en remuant souvent et en ajoutant de l'eau si nécessaire.

Pendant ce temps, mettez le reste d'huile dans une casserole, chauffez à feu modéré et ajoutez le riz. Remuez pour bien l'enrober de matière grasse. Mouillez avec 25 cl d'eau, ajoutez le sel et le thym, et portez à ébullition. Couvrez et laissez frémir 10 minutes environ. Égouttez et retirez le thym.

Mélangez la chapelure avec le persil et une pincée de sel.

Avec une cuillère en bois, écrasez la courge en purée grossière. Mélangez avec le riz et la crème fraîche. Rectifiez l'assaisonnement.

Répartissez le mélange dans le plat à gratin. Recouvrez-le d'une fine couche de fromage râpé, puis de chapelure. Faites dorer de 20 à 30 minutes dans le four préchauffé à 200 °C (therm. 6). Servez chaud.

Crème et pommes de terre fondant lentement à la chaleur du four, voilà le véritable gratin dauphinois, qui ne saurait tolérer l'ajout de fromage. Il se sert tout simplement avec une salade, ou se fait le complice des viandes et volailles rôties.

gratin dauphinois

2 kg de pommes de terre de type Charlotte ou Belle de Fontenay, coupées en deux

2 litres de lait entier

1 feuille verte de laurier

30 g de beurre

50 cl de crème fraîche

une pincée de muscade râpée

gros sel

un plat à gratin, de 30 cm de long

Pour 4 à 6 personnes

Dans une grande casserole, faites chauffer le lait et les pommes de terre avec le laurier. Une fois à ébullition, baissez à feu doux, ajoutez une pincée de sel et laissez frémir de 5 à 10 minutes.

Égouttez les pommes de terre, laissez-les tiédir, puis coupez-les en rondelles de 3 mm d'épaisseur environ.

Beurrez le plat à gratin. Disposez la moitié des pommes de terre sur le fond et saupoudrez de sel. Rangez l'autre moitié des pommes de terre et salez de nouveau. Versez la crème et parsemez de muscade râpée.

Faites cuire 45 minutes dans le four préchauffé à 180 °C (therm. 4). Le gratin doit être doré et la crème presque complètement absorbée. Servez très chaud.

Un repas à lui tout seul : copieux et reconstituant, c'est le plat que l'on rêve de déguster après une journée sur les pistes de ski. Originaire de haute Savoie, la tartiflette n'a rien d'une recette transmise à travers les générations : c'est une trouvaille promotionnelle des années 1980 destinée à doper les ventes de reblochon ! Accompagnez-la d'une salade verte (voir page 25) et d'une bouteille de vin d'Apremont bien frais.

tartiflette

1 kg de pommes de terre, de bonne tenue à la cuisson

1 feuille fraîche de laurier

60 g de beurre

2 oignons, coupés en deux et émincés en rondelles

150 g de lardons

75 cl de vin blanc sec

1 reblochon* de 500 g environ

sel et poivre noir moulu

un plat à gratin de 30 cm de long

Pour 6 personnes

Mettez les pommes de terre et le laurier dans une casserole et couvrez d'eau froide. Portez à ébullition, jetez une poignée de sel et laissez cuire 15 minutes. Égouttez, puis épluchez et détaillez les pommes de terre en rondelles.

Faites fondre la moitié du beurre dans une sauteuse et faites dorer les oignons et les lardons. Retirez-les avec une écumoire et réservez. Ajoutez le reste du beurre et faites délicatement revenir les pommes de terre, sans les briser. Au bout de 5 minutes, mouillez avec le vin et faites bouillir 1 minute. Salez et poivrez.

Disposez les pommes de terre dans le plat à gratin. Nettoyez la croûte du reblochon à la brosse dure et divisez-le en 8 portions. Partagez-les à nouveau en deux pour que chaque part ne présente qu'une face avec la croûte. Déposez le fromage sur les pommes de terre, côté croûte sur le dessus. Recouvrez le plat d'une feuille de papier d'aluminium et faites cuire 30 minutes dans le four préchauffé à 220 °C (therm. 7), en enlevant la feuille à mi-cuisson. Servez chaud et bien doré.

***Note** Pour changer, essayez avec du cantal, du fromage des Pyrénées ou des crottins de Chavignol, à moins que vous n'ayez quelques restes de fromage à terminer. Dans ce cas, votre plat n'aura plus grand-chose à voir avec une véritable tartiflette, mais se savourera avec autant d'appétit.

Ingrédient incontournable de la cuisine française, le thym (aidé par la crème fraîche, il est vrai) transforme ici d'ordinaires carottes cuites en un mets aux saveurs subtiles. Cette recette convient également aux jeunes poireaux, si vous ajoutez une noix de beurre à la crème fraîche.

carottes à la crème
et aux herbes

800 g de petites carottes nouvelles, grattées
50 g de beurre
une branchette de thym
2 cuillerées à soupe de crème fraîche
quelques pluches de cerfeuil
un petit bouquet de ciboulette
sel fin

Pour 4 personnes

Mettez les carottes dans une sauteuse, en une seule couche. Ajoutez le beurre et faites cuire 3 minutes à feu doux. Couvrez largement d'eau, salez et ajoutez le thym. Faites cuire à couvert de 10 à 20 minutes, afin que l'eau s'évapore presque entièrement.

Versez la crème et ajoutez du sel, si nécessaire. Ciselez le cerfeuil et la ciboulette sur les carottes, mélangez bien, puis servez.

Variante Accompagnez les carottes de navets printaniers bien tendres. Prévoyez la moitié de la quantité indiquée de carottes et complétez avec les navets, après avoir épluché et coupé les plus gros en quartiers. Panachez votre plat avec une bonne poignée de petits pois cuits *al dente*.

Un plat de haricots verts frais est un pur délice qui accompagne remarquablement l'agneau, le poisson et le poulet. Froid, ce légume entre aussi dans la composition de savoureuses salades. N'hésitez pas à employer cette recette pour des tagliatelles de courgettes.

haricots verts à l'ail

600 g de petits haricots verts, équeutés
2 cuillerées à soupe d'huile d'olive
1 cuillerée à soupe de beurre
2 gousses d'ail pressées
un bouquet de persil plat haché
1 cuillerée à café de jus de citron (en option)
sel et poivre noir du moulin

Pour 4 personnes

Faites bouillir de l'eau dans un faitout. Faites cuire les haricots 3 ou 4 minutes, dès la reprise de l'ébullition. Mettez-les dans une passoire et rafraîchissez-les à l'eau froide. Réservez.

Chauffez l'huile et le beurre dans une poêle. Ajoutez les haricots, l'ail et le sel. Faites revenir 1 minute à feu vif, en remuant. Hors du feu, mélangez avec le persil et le jus de citron. Saupoudrez de poivre et servez.

Variante Les flageolets sont d'autres partenaires traditionnels de la viande d'agneau. Il est toujours préférable de les préparer soi-même, ce qui oblige à s'y prendre à l'avance, mais l'on trouve de très honorables flageolets en bocaux. Pour un plat mixte destiné à accompagner un gigot, divisez par deux la quantité de haricots verts et ajoutez dans la poêle le contenu d'un bocal de 400 g de flageolets égouttés. Remplacez le jus de citron par 3 ou 4 cuillerées à soupe de crème fraîche.

Fidèle compagnon du plat du jour, le gratin de chou-fleur accompagne remarquablement la viande de porc. Faites-le toujours blanchir avec une feuille de laurier pour éliminer les déplaisantes odeurs de chou.

gratin de chou-fleur

1 gros chou-fleur, détaillé en bouquets
1 feuille de laurier
50 cl de crème fraîche épaisse
1 œuf
2 cuillerées à café de moutarde de Dijon
160 g de comté râpé*
gros sel

un plat à gratin beurré, de 25 cm de diamètre environ

Pour 4 à 6 personnes

Faites bouillir de l'eau dans un grand faitout. Plongez le chou dans l'eau bouillante après avoir copieusement salé et ajouté le laurier. Laissez cuire 10 minutes environ, le chou-fleur devant rester ferme. Égouttez et réservez.

Faites bouillir la crème dans une casserole, pendant 10 minutes environ. Ajoutez la moutarde, une cuillerée à café de sel, remuez.

Divisez les bouquets en fleurettes, puis ajoutez-les à la crème. Transférez dans le plat à gratin et recouvrez uniformément de fromage râpé. Faites cuire de 40 à 45 minutes dans le four préchauffé à 200 °C (therm. 6). Servez très chaud.

***Note** Un gratin confectionné avec du comté ou du cantal sera bien meilleur que si vous employez du gruyère râpé ordinaire.

En Provence, on appelle tian le plat carré de terre cuite dans lequel cuisent ces délicieux assemblages de légumes. Je préfère utiliser un plat métallique aux parois antiadhésives, ce qui n'altère guère le résultat. Régal de l'été provençal, le tian se sert en général tiède ou à température ambiante. Préparez-le un jour à l'avance, il n'en sera que meilleur.

tian d'aubergines aux oignons et aux tomates

4 aubergines moyennes, en rondelles de 2 cm

5 cuillerées à soupe de chapelure

½ cuillerée à café d'herbes de Provence

12 cl d'huile d'olive

2 gros oignons, coupés en épaisses rondelles

3 belles tomates, découpées en rondelles

40 g d'olives noires, dénoyautées et coupées en rondelles

gros sel et poivre noir du moulin

Sauce tomate

1 cuillerée à soupe d'huile d'olive

3 gousses d'ail

1, 5 kg de tomates pelées, épépinées et hachées

une pincée de sucre

un petit bouquet de basilic haché

un petit bouquet de persil plat haché

gros sel et poivre noir

un plat à gratin antiadhésif ou en terre cuite

Pour 4 à 6 personnes

Confectionnez la sauce tomate : chauffez l'huile dans une casserole et faites suer l'ail de 1 à 2 minutes. Ajoutez les tomates, le sucre et le sel. Couvrez et laissez mijoter 10 minutes à feu doux. Hors du feu, mélangez avec le basilic et le persil.

Faites bouillir une grande casserole d'eau salée. Faites blanchir les tranches d'aubergine de 3 à 5 minutes. Égouttez bien.

Dans une petite jatte, mélangez la chapelure avec les herbes et le sel.

Graissez le plat avec 3 ou 4 cuillerées à soupe d'huile d'olive. Disposez les aubergines et aspergez-les d'un peu d'huile. Superposez les rondelles d'oignons, salez et poivrez. Nappez uniformément de sauce tomate. Déposez les rondelles de tomate sur la préparation, parsemez de chapelure puis d'olives. Faites cuire 45 minutes environ, dans le four préchauffé à 200 °C (therm. 6), jusqu'à ce que le tian soit bien coloré. Servez chaud ou tiède.

C'est une amie d'Aix-en-Provence qui, la première, m'a confié sa méthode pour cuire une bonne ratatouille. Elle ajoutait tour à tour les ingrédients en fonction de leur exigence de cuisson ; cette patience était largement récompensée, car j'ai rarement dégusté ratatouille aussi délicieuse. Pour un résultat parfait, chaque couche de légumes doit être assaisonnée individuellement. Détaillez les légumes en morceaux assez gros (3 ou 4 cm) et servez avec du pain frais.

ratatouille

- 1 kg d'aubergines, coupées en morceaux
- huile d'olive
- 2 oignons moyens, hachés gros
- 2 poivrons rouges, épépinés et coupés en morceaux
- 2 poivrons jaunes, épépinés et coupés en morceaux
- 1 poivron vert, épépiné et coupé en morceaux
- 6 petites courgettes (750 g environ) fendues et détaillées en demi-rondelles
- 4 gousses d'ail pressées
- 6 tomates moyennes, épépinées et hachées
- un petit bouquet de basilic et un petit bouquet de persil, haché gros
- gros sel

Pour servir

- quelques feuilles de basilic ciselées
- 1 gousse d'ail pressée

Pour 4 à 6 personnes

Mettez l'aubergine dans un récipient adapté au micro-onde, avec 3 cuillerées à soupe d'eau. Faites cuire 6 minutes sur maximum. Égouttez et réservez.

Dans une cocotte, faites suer les oignons de 3 à 5 minutes dans 3 cuillerées à soupe d'huile. Salez modérément.

Ajoutez les poivrons et faites cuire de 5 à 8 minutes, en remuant souvent. Augmentez la flamme si nécessaire, afin que les légumes grésillent sans toutefois brûler. Salez modérément.

Ajoutez 1 cuillerée à soupe d'huile, puis les courgettes. Mélangez bien et faites revenir 5 minutes environ, en remuant de temps en temps. Salez légèrement.

Ajoutez encore 2 cuillerées à soupe d'huile et les aubergines. Faites revenir encore 5 minutes, en remuant fréquemment. Salez avec modération.

Incorporez l'ail et laissez cuire 1 minute. Ajoutez encore 1 cuillerée à soupe d'huile, les tomates et le basilic. Remuez bien et salez légèrement. Couvrez au bout de 5 minutes et laissez mijoter 30 minutes à feu doux, en vérifiant la cuisson de temps à autre.

Retirez du feu. Servez à température ambiante, ou chaud (c'est tout aussi délicieux), après avoir ajouté les feuilles de basilic et une gousse d'ail pressée.

Les ingrédients variant selon les régions, il m'a été difficile de trancher entre le chou rouge à la flamande (avec des pommes) et à la limousine (avec des marrons). Cette recette conjugue les deux, s'étoffant même de lardons et de riesling. Servez avec des saucisses grillées, des côtes de porc ou un rôti et dégustez avec un verre de ce même vin d'Alsace.

chou rouge aux marrons et aux pommes

- 1 chou rouge
- 3 cuillerées à soupe de beurre
- 1 oignon, partagé en deux et finement émincé
- 75 g de lardons
- 3 pommes à cuire, vidées et hachées
- 200 g de châtaignes cuites et épluchées
- 2 cuillerées à café de gros sel
- 25 cl de vin blanc sec, de préférence un riesling
- 1 cuillerée à soupe de sucre

Pour 4 à 6 personnes

Divisez le chou en quartiers et ôtez-en la partie centrale. Émincez-le en fines lanières.

Dans une sauteuse, faites fondre 2 cuillerées à soupe de beurre. Ajoutez les oignons et les lardons et faites-les suer 3 minutes environ.

Ajoutez le reste du beurre, le chou, les pommes et les châtaignes. Remuez, salez, puis mouillez avec le vin blanc et 25 cl d'eau. Incorporez le sucre.

Portez à ébullition et laissez frémir 1 minute. Couvrez et laissez mijoter 45 minutes environ, pour que le chou soit bien tendre.

Il y a quelques années, lors d'une excursion dans le massif du Jura, nous fîmes halte pour la nuit dans un petit hôtel. La soirée étant déjà fort avancée, nous dûmes nous contenter du seul plat du jour encore disponible. L'on nous offrit donc un rôti de porc, accompagné d'un somptueux mélange de verdures, hachées et cuisinées aux œufs et à la crème fraîche. Accommodés de cette manière, de simples épinards obtiendront un franc succès.

flan d'épinards

500 g d'épinards frais
3 à 5 cuillerées à soupe d'huile d'olive
20 cl de crème fraîche
2 œufs
1 cuillerée à café de gros sel
une pincée de muscade râpée
1 cuillerée à soupe de beurre

un plat à gratin, long de 30 cm

Pour 4 personnes

Rincez et essorez les épinards. Chauffez 1 cuillerée à soupe d'huile dans une poêle antiadhésive, et faites cuire à feu vif une petite quantité d'épinards. Lorsque les feuilles comment à s'assouplir, mettez-les à égoutter dans une passoire. Répétez l'opération autant de fois que nécessaire.

Hachez grossièrement les épinards. Dans une jatte, mélangez la crème, les œufs, le sel et la muscade avec un fouet. Incorporez les épinards.

Beurrez le fond du plat à gratin et garnissez-le avec cette préparation. Faites cuire de 20 à 25 minutes dans le four préchauffé à 180 °C (therm. 4). Servez bien chaud.

Ce classique fait florès sur les menus des bistrots. Il est le complice idéal des ragoûts à base de bœuf, car le gratin est encore meilleur lorsqu'il se mélange à la sauce.

gratin de macaronis

300 g de macaronis
50 cl de lait
3 cuillerées à soupe de crème fraîche
60 g de beurre
4 cuillerées à soupe de farine
gros sel et poivre noir moulu
200 g de beaufort* râpé très fin

un plat à gratin beurré, long de 30 cm

Pour 6 personnes

Faites cuire les macaronis dans une grande quantité d'eau bouillante et bien salée. Égouttez-les et rincez-les bien, puis remettez-les dans la casserole vide.

Chauffez le lait dans une petite casserole, ajoutez la crème et remuez. Faites fondre le beurre à feu modéré dans une autre casserole ; versez la farine et faites cuire 3 minutes, sans cesser de remuer. Ajoutez le lait et remuez jusqu'à épaississement du mélange. Salez et poivrez.

Versez la béchamel sur les macaronis et rectifiez l'assaisonnement. Transférez dans le plat à gratin et saupoudrez de fromage râpé. Faites dorer de 10 à 15 minutes sous le gril du four. Servez très chaud.

Note Si vous le souhaitez, remplacez le beaufort par du cantal ou de l'emmenthal. Le goût sera bien entendu fort différent.

desserts

Dès le mois de mai, cartes et menus proposent ce dessert de choix, et pas seulement aux alentours de Plougastel, qui se targue de cultiver les meilleures fraises du pays. N'omettez surtout pas le jus de citron, dont l'acidité développe la saveur des fraises bien sucrées ; toutefois, n'en abusez pas, car la quantité de citron à ajouter dépend du type de fruits. Pour varier les plaisirs, tentez les jus de clémentine, d'orange, de citron vert, les feuilles de menthe hachées... ou servez tout simplement avec un morceau de brioche et de la chantilly.

fraises au sucre

1 kg de fraises, à température ambiante

le jus d'un citron

3 à 5 cuillerées à soupe de sucre en poudre

Pour 4 à 6 personnes

Équeutez les fraises et arrangez-les dans une coupe attrayante. Aspergez de jus de citron et saupoudrez de 3 cuillerées à soupe de sucre. Remuez délicatement pour bien enrober les fraises et laissez reposer 15 minutes environ. Goûtez et rajoutez un peu de sucre si nécessaire.

Les fraises sont encore plus savoureuses après un temps de repos, à condition de ne pas le prolonger. Préparez-les juste avant le début du repas : elles seront parfaites.

Si vous les aimez avec de la crème fraîche, adoucissez-la d'une cuillerée de sucre.

Variante Testez cette recette avec des pêches ou des nectarines coupées en tranches, ou panachez groseilles, myrtilles, framboises et cassis.

Ni indigestes, ni trop sucrées : l'accomplissement parfait d'un repas façon bistrot. La confection des crèmes renversées, simplissime, se complique parfois à l'étape du démoulage. Pour contrer ces menus tracas, employez des moules peu profonds et ne les remplissez pas à ras bord. Après cuisson, laissez les moules reposer 15 bonnes minutes dans leur bain-marie : le mélange prend bien et le démoulage se fait sans difficulté. Juste avant de servir, passez la pointe d'un couteau contre la face interne du moule, surmontez-le d'une assiette, et retournez le tout.

crèmes renversées au caramel

75 cl de lait entier
1 gousse de vanille, fendue en longueur
180 g de sucre
5 œufs
une pincée de sel

8 ramequins
une lèchefrite

Pour 8 personnes

Mettez le lait et la vanille dans une casserole et faites chauffer à feu modéré. Dès l'ébullition, retirez du feu, couvrez et laissez reposer pendant le temps de confection du caramel.

Versez 100 g de sucre, le sel et 4 cuillerées à soupe d'eau dans une petite casserole à fond épais. Chauffez jusqu'à ce que le sucre fondu devienne brun sombre, et retirez du feu. Dès qu'il cesse de grésiller, répartissez-le prudemment dans les ramequins. Installez les ramequins dans la lèchefrite que vous remplirez d'eau bouillante à mi-hauteur. Réservez.

Incorporez le reste du sucre et le sel dans le lait chaud. Remuez jusqu'à dissolution complète. Retirez la gousse de vanille.

Battez les œufs dans une jatte. Versez le lait sur les œufs et mélangez soigneusement. Répartissez le mélange dans les ramequins.

Transférez avec précaution le bain-marie dans le four préchauffé à 180 °C (therm. 4). Faites cuire de 20 à 25 minutes. Plongez la lame d'un couteau dans un des moules : si le mélange est cuit, elle ressort propre. Servez les crèmes à température ambiante, à même les ramequins, ou renversez-les sur des assiettes, qui se napperont de caramel.

La confection de ce dessert, à préparer la veille de votre repas entre amis, relève du jeu d'enfant. Il est aussi bien plus digeste qu'il n'y paraît, l'apport de jaunes d'œufs pouvant être diminué, voire supprimé. N'employez que du très bon chocolat, ne titrant pas toutefois à plus de 70 % de teneur en cacao. Pour de nombreux convives, n'hésitez pas à doubler les quantités et servez la mousse au chocolat à même une grande coupe.

mousse au chocolat

200 g de chocolat noir, cassé en morceaux

30 g de beurre, coupé en petits morceaux

1 gousse de vanille fendue en longueur

3 œufs, blancs et jaunes séparés

une pincée de sel

2 cuillerées à soupe de sucre en poudre

crème fouettée, en complément (facultatif)

Pour 4 personnes

Mettez le chocolat dans un récipient adapté au micro-onde et faites-le fondre 40 secondes sur maximum. Remuez et recommencez jusqu'à homogénéisation. Ajoutez le beurre et mélangez. À l'aide d'un couteau effilé, grattez l'intérieur de la gousse de vanille au-dessus du mélange. Incorporez les jaunes d'œufs, mélangez et réservez.

À l'aide d'un mixeur, battez les blancs d'œufs et une pincée de sel jusqu'à obtenir un mélange mousseux. Ajoutez le sucre et battez en neige ferme et brillante.

Incorporez très délicatement les blancs battus au chocolat, en mélangeant constamment de haut en bas avec une spatule en caoutchouc, afin d'éliminer le moindre petit grumeau blanc.

Transférez la mousse dans des ramequins et gardez-les au moins 6 heures au réfrigérateur.

Il existe des centaines de variantes pour la préparation de ce dessert classique et sans prétention : mode de cuisson, qualité du riz, emploi de jaunes d'œufs ou d'œufs entiers, ajout de cannelle ou de zestes d'orange dépendent des traditions familiales. La seule méthode quasiment immuable consiste à blanchir le riz avant cuisson, pour en éliminer l'amidon. Sa texture aérienne et délicate permet alors bien des fantaisies : servez-le avec un coulis de fruits rouges ou une crème au chocolat, ou nature, tout simplement.

riz au lait

125 g de riz à grain rond, de type arborio
50 cl de lait entier, bouilli
60 g de sucre
1 gousse de vanille, fendue
15 g de beurre
une pincée de sel

Pour 4 personnes

Mettez le riz dans une casserole et couvrez-le d'eau froide. Amenez lentement à ébullition et laissez bouillir 5 minutes à feu moyen. Égouttez et rincez à l'eau froide. Réservez.

Versez le lait dans une cocotte et portez-le à ébullition. Ajoutez le sucre et la vanille. Retirez du feu et laissez reposer 15 minutes à couvert. Extrayez les grains de vanille avec la pointe d'un petit couteau puis incorporez-les au lait chaud.

Ajoutez le riz, puis le beurre et le sel. Amenez doucement à ébullition, couvrez et transférez la cocotte dans le four préchauffé à 180 °C (therm. 3). Ne remuez pas. Faites cuire de 25 à 35 minutes, jusqu'à ce que le liquide soit pratiquement absorbé. Servez bien chaud.

En saison, le clafoutis aux cerises fleurit sur les cartes des bistrots. Cette pure merveille, si facile à préparer, présente tout de même un inconvénient de taille : la saison des cerises ne dure qu'un temps. Prunes, pommes et poires les remplacent le reste de l'année, mais avez-vous essayé la rhubarbe ? Lancez-vous. Ce dessert est tout simplement fantastique.

clafoutis à la rhubarbe

500 g de rhubarbe fraîche
20 cl de lait entier
20 cl de crème fraîche épaisse
3 œufs
150 g de sucre
une grosse pincée de cannelle en poudre
une pincée de sel
1 gousse de vanille, fendue
50 g de farine

un plat ou un moule à manqué de 30 cm de diamètre, beurré et saupoudré de sucre

Pour 6 personnes

Faites blanchir la rhubarbe 2 minutes dans de l'eau bouillante. Égouttez et réservez.

Mélangez les œufs, la crème, le sucre, le sel et la cannelle avec le lait. Ajoutez les grains de la gousse de vanille, prélevés avec la pointe d'un petit couteau. Incorporez la farine et battez soigneusement.

Arrangez la rhubarbe sur le fond du plat. Recouvrez de l'appareil et faites cuire de 40 à 45 minutes dans le four préchauffé à 200 °C (therm. 6), pour un clafoutis aérien et bien doré.

Si elle ne représente pas le fin du fin pour la dégustation, la pomme golden se prête bien à la cuisson et à la pâtisserie : elle est peu acide et ne se désagrège pas. La compote vanillée est une fantaisie personnelle méritant votre indulgence.

tarte aux pommes

200 g de farine

2 cuillerées à café de sucre en poudre

100 g de beurre froid, coupé en morceaux

une pincée de sel

Compote vanillée

3 pommes golden, épluchées et hachées

1 gousse de vanille, fendue en long

2 cuillerées à soupe de sucre

10 g de beurre

Garniture

3 pommes golden, épluchées et émincées

15 g de beurre fondu

1 cuillerée à soupe de sucre

papier sulfurisé et haricots secs

un moule à tarte à fond amovible de 27 cm de diamètre, beurré et fariné

Pour 6 personnes

Préparez la pâte : mettez la farine, le beurre et le sel dans le bol du mixeur. Donnez 5 à 10 impulsions pour briser les morceaux de beurre. Ajoutez 3 cuillerées à soupe d'eau et mixez pour obtenir une sorte de chapelure grossière ; si nécessaire, incorporez une autre cuillerée d'eau, mais ne donnez pas plus de 10 impulsions.

Transférez la pâte sur une feuille de papier sulfurisé. Roulez-la en boule et aplatissez-la. Enveloppez-la dans le papier et laissez-la reposer au moins 30 minutes au réfrigérateur.

Étalez la pâte sur une surface farinée, pour obtenir un disque légèrement plus grand que le moule. Avec précaution, déposez-la dans le moule, et pressez délicatement les bords. Passez le rouleau sur le bord supérieur du moule pour retirer l'excédent de pâte. Mettez le moule au réfrigérateur jusqu'à ce que la pâte devienne ferme, de 30 à 60 minutes.

Piquez la surface de la pâte à la fourchette, recouvrez de papier sulfurisé et remplissez le moule de haricots secs. Faites cuire 15 minutes dans le four préchauffé à 200 °C (therm. 6). Retirez le papier et les haricots et remettez à dorer de 10 à 15 minutes. Laissez la tarte refroidir avant de la garnir.

Confection de la compote : mettez les pommes hachées, la gousse de vanille, le sucre et le beurre dans une casserole, avec 4 cuillerées à soupe d'eau. Faites cuire de 10 à 15 minutes à petit feu, en rajoutant de l'eau si nécessaire. Extrayez les grains de vanille en grattant l'intérieur de la gousse, et jetez cette dernière. Mixez ou passez la préparation au moulin pour obtenir une purée.

Étalez la compote sur le fond de tarte. Arrangez les tranches de pomme en les faisant légèrement chevaucher. Avec un pinceau, vernissez les pommes de beurre fondu et saupoudrez de sucre. Faites dorer de 25 à 35 minutes dans le four préchauffé à 200 °C (therm. 6). Servez tiède ou à température ambiante.

Elle se dévore des yeux avant d'être savourée. Offrez ce dessert à vos convives sans craindre d'être retenu en cuisine, car frangipane et fond de tarte peuvent se préparer bien à l'avance. Pour les grandes occasions, servez-la avec une chantilly légère ou une boule de glace à la vanille.

tarte aux poires frangipane

200 g de farine

2 cuillerées à café de sucre en poudre

100 g de beurre froid, coupé en morceaux

une pincée de sel

3 ou 4 poires bien mûres*

Frangipane

100 g de beurre

100 g de sucre

2 œufs

100 g de poudre d'amandes

2 cuillerées à soupe de farine

papier sulfurisé et haricots secs pour la cuisson du fond

un moule à tarte à fond amovible de 27 cm de diamètre, beurré et fariné

Pour 6 personnes

**Si les poires ne semblent pas assez mûres, faites-les pocher 5 minutes dans de l'eau additionnée d'un jus de citron.*

Préparez la pâte : mettez la farine, le beurre et le sel dans le bol du mixeur. Donnez 5 à 10 impulsions pour briser les morceaux de beurre. Ajoutez 3 cuillerées à soupe d'eau et mixez pour obtenir une chapelure grossière ; si nécessaire, incorporez une autre cuillerée d'eau, mais ne donnez pas plus de 10 impulsions.

Transférez la pâte sur une feuille de papier sulfurisé. Roulez-la en boule et aplatissez-la. Enveloppez-la dans le papier et laissez-la reposer de 30 à 60 minutes au réfrigérateur.

Étalez la pâte sur une surface farinée, pour obtenir un disque légèrement plus grand que le moule. Transférez-la avec précaution dans le moule, en pressant délicatement les bords. Passez le rouleau sur le bord supérieur du moule pour retirer l'excédent de pâte. Mettez le moule au réfrigérateur jusqu'à ce que la pâte devienne ferme, de 30 à 60 minutes.

Piquez la surface de la pâte à la fourchette, recouvrez de papier sulfurisé et remplissez le moule de haricots secs. Faites cuire 15 minutes dans le four préchauffé à 200 °C (therm. 6). Retirez le papier et les haricots et remettez à dorer de 10 à 15 minutes. Laissez la tarte refroidir avant de la garnir.

Pendant ce temps, confectionnez la frangipane : battez le beurre et le sucre au fouet électrique. Dès l'obtention d'une mousse jaune citron, ajoutez les œufs un par un, tout en continuant de battre. À l'aide d'une spatule, incorporez soigneusement la poudre d'amande et la farine.

Baissez le thermostat de four à 190 °C (therm. 5). Étalez uniformément la frangipane sur le fond de tarte.

Épluchez les poires et découpez chacune d'elles en 8 ou 12 quartiers, selon grosseur. Disposez-les sur la frangipane.

Faites dorer de 20 à 25 minutes. Servez tiède.

Lors de nos séjours buissonniers de septembre, près de Bandol, je ne ratais jamais le marché du dimanche. Mon étal favori, tenu par une fermière des environs, proposait des œufs frais, de beaux fruits mûrs, des herbes aromatiques et les meilleures confitures que j'aie jamais savouré... dont un assemblage paradisiaque de pêches jaunes ou blanches et de groseilles. Je dédie cette recette, variante estivale de la tarte aux pommes, à cette fermière inventive.

tarte aux pêches et aux groseilles

200 g de farine

2 cuillerées à café de sucre en poudre

100 g de beurre froid, coupé en morceaux

une pincée de sel

3 ou 4 cuillerées à soupe d'eau

Garniture

3 œufs

3 cuillerées à soupe de crème fraîche

50 g de sucre

3 belles pêches mûres, coupées en tranches fines

4 ou 5 grappes de groseilles (50 g environ)

un moule à tarte à fond amovible de 27 cm de diamètre, beurré et fariné

papier sulfurisé et haricots secs

Pour 12 parts

Fond de tarte : mettez la farine, le beurre et le sel dans le bol du mixeur. Donnez 5 à 10 impulsions pour briser les morceaux de beurre. Ajoutez 3 cuillerées à soupe d'eau froide et mixez pour obtenir une chapelure grossière ; si nécessaire, ajoutez une autre cuillerée d'eau, mais ne donnez pas plus de 10 impulsions.

Transférez la pâte sur une feuille de papier sulfurisé. Roulez-la en boule et aplatissez-la. Enveloppez-la dans le papier et laissez-la reposer de 30 à 60 minutes au réfrigérateur.

Étalez la pâte sur une surface farinée, pour obtenir un disque légèrement plus grand que le moule. Déposez-la délicatement dans le moule, en pressant délicatement les bords. Passez le rouleau sur le bord supérieur du moule pour retirer l'excédent de pâte. Mettez le moule au réfrigérateur jusqu'à ce que la pâte devienne ferme, de 30 à 60 minutes.

Piquez la surface de la pâte à la fourchette, recouvrez de papier sulfurisé et remplissez le moule de haricots secs. Faites cuire 15 minutes dans le four préchauffé à 200 °C (therm. 6). Retirez le papier et les haricots et remettez à dorer de 10 à 15 minutes. Laissez le fond de tarte refroidir avant de le garnir.

Dans une jatte, battez les œufs, la crème fraîche et le sucre. Disposez les pêches en deux cercles distincts sur le fond de tarte. Recouvrez avec l'appareil aux œufs et parsemez la surface avec les groseilles.

Enfournez et laissez dorer et gonfler de 25 à 30 minutes. Servez tiède ou à température ambiante.

Tout bistrot digne de ce nom se doit d'afficher une douceur chocolatée à son menu. Enrichi de noisettes, ce gâteau sera meilleur si vous employez du chocolat noir ordinaire, à 50 % d'extrait de cacao.

fondant au chocolat et aux noisettes

100 g de noisettes, décortiquées
150 g de chocolat noir, brisé en morceaux
75 g de beurre
125 g de sucre en poudre
4 œufs, blancs et jaunes séparés
100 g de farine
une pincée de sel
4 cuillerées à soupe de crème fraîche
crème fouettée et sucrée, pour garnir

Décor

50 g de chocolat
1 cuillerée à soupe de sucre glace
1 cuillerée à soupe de cacao en poudre

un moule à manqué de 23 cm de diamètre, beurré

Pour 8 parts

Passez 80 g de noisettes au moulin électrique.

Faites fondre le beurre et le chocolat 1 minute et demie au micro-ondes, sur position maximum. Remuez et laissez reposer jusqu'à ce que le mélange ait complètement fondu.

Réservez 1 cuillerée à soupe de sucre et mettez le reste dans une grande jatte. Ajoutez les jaunes d'œufs et battez jusqu'à l'obtention d'une mousse jaune citron. Incorporez le chocolat fondu, puis la farine, le sel, la poudre de noisettes et la crème fraîche, pour obtenir une pâte assez épaisse.

Battez les blancs en mousse et ajoutez le reste du sucre, puis battez-les en neige ferme. À l'aide d'une spatule en caoutchouc, incorporez un tiers des blancs dans le mélange au chocolat. Ajoutez enfin le reste des blancs, et tournez délicatement de haut en bas afin de supprimer tous les grumeaux blancs.

Transférez dans le moule à manqué et faites cuire de 20 à 30 minutes dans le four préchauffé à 180 °C (therm. 4), ou jusqu'à ce qu'une pointe enfoncée au cœur du gâteau ressorte propre et sèche.
Laissez tiédir un instant, puis démoulez le gâteau sur une grille.

Décor : dans une poêle, faites griller à sec les noisettes entières, puis concassez-les grossièrement. Passez le chocolat 30 secondes au micro-ondes, sur la position maximum, puis détaillez-le en copeaux avec un économe. Tamisez le sucre glace et le cacao au-dessus du gâteau, pour un saupoudrage fin et uniforme. Décorez avec les copeaux de chocolat et les éclats de noisettes. Servez à température ambiante, avec de la crème fouettée sucrée ou de la crème fraîche. Ce gâteau se conserve plusieurs jours dans un récipient hermétique.

Cette pâtisserie familiale n'est pas, à proprement parler, un dessert de bistrot, mais la recette est si simple (le pot de yaourt sert de mesure) et le résultat si bon qu'il serait dommage de vous en priver. Variez les arômes à votre convenance : orange, cannelle, miel, vanille, chocolat, fruits confits... Un délice à confectionner avec vos enfants.

gâteau au yaourt

1 pot de yaourt nature
2 pots de sucre
3 pots de farine
2 œufs
1 cuillerée à soupe d'huile de tournesol
1 cuillerée à café de bicarbonate de soude
une pincée de sel
le jus d'une orange
1 cuillerée à soupe de sucre glace

un moule à manqué de 23 cm de diamètre, beurré

Pour 8 parts

Videz le pot de yaourt dans une grande jatte puis rincez et essuyez-le, car il va vous servir de mesure pour les autres ingrédients. Ajoutez le sucre, la farine, les œufs, l'huile, le bicarbonate, le sel et la moitié du jus d'orange. Mélangez soigneusement.

Versez dans le moule beurré et faites cuire de 15 à 20 minutes dans le four préchauffé à 180 °C (therm. 4), et vérifiez la cuisson du gâteau avec la lame d'un couteau. Sortez-le du four puis, à l'aide d'une fourchette, percez la surface de quelques trous. Versez le reste du jus d'orange. Laissez le gâteau tiédir un instant, puis retournez-le sur une grille.

Saupoudrez légèrement de sucre glace. Servez à température ambiante.

index

V R
JOSEPH RODGERS & SONS
CUTLERS TO HER MAJESTY